DATE DUE

GEORGES SIMENON

MON AMI
MAIGRET

PRESSES DE LA CITÉ

La loi du 11 mars 1957 n'autorisant, aux termes des alinéas 2 et 3 de l'Article 41, d'une part, que les *copies ou reproductions strictement réservées à l'usage privé du copiste et non destinées à une utilisation collective*, et, d'autre part, que les analyses et les courtes citations dans un but d'exemple et d'illustration, *toute représentation ou reproduction intégrale ou partielle, faite sans le consentement de l'auteur ou de ses ayants droit ou ayants cause, est illicite* (alinéa 1er de l'Article 40).
Cette représentation ou reproduction, par quelque procédé que ce soit, constituerait donc une contrefaçon sanctionnée par les Articles 425 et suivants du Code Pénal.

© *Georges Simenon*, 1952.

ISBN 2-258-00042-4

CHAPITRE

1

Le très aimable M. Pyke.

—VOUS ETIEZ SUR LE
seuil de votre établissement ?

— Oui, mon commissaire.

C'était inutile de le reprendre. Quatre ou cinq
fois, Maigret avait essayé de lui faire dire « monsieur le commissaire ». Quelle importance cela
avait-il ? Quelle importance avait tout ceci ?

— Une voiture grise, de grand sport, s'est arrê-
tée un instant et un homme en est descendu,
presque en voltige, c'est bien ce que vous avez
déclaré ?

— Oui, mon commissaire.

— Pour entrer dans votre boîte, il a dû passer
tout contre vous et il vous a même légèrement
bousculé. Or, au-dessus de la porte, il existe une
enseigne lumineuse au néon.

— Elle est violette, mon commissaire.

— Et alors ?

— Alors rien.

— C'est parce que votre enseigne est violette que vous êtes incapable de reconnaître l'individu qui, un instant plus tard, écartant la portière de velours, a vidé son revolver sur votre barman ?

L'homme s'appelait Caracci ou Caraccini (Maigret était obligé, chaque fois, de consulter le dossier.) Il était petit, avec de hauts talons, une tête de Corse (ils ressemblent toujours un peu à Napoléon) et il portait un énorme diamant jaune au doigt.

Cela durait depuis huit heures du matin et onze heures sonnaient. Cela durait même, en réalité, depuis le milieu de la nuit, puisque tous ceux qu'on avait ramassés rue Fontaine, dans la boîte où le barman avait été descendu, avaient passé la nuit au dépôt. Trois ou quatre inspecteurs, dont Janvier et Torrence, s'étaient déjà occupés de Caracci, ou Caraccini, sans en rien tirer.

On avait beau être en mai, il pleuvait comme au plus fort de l'automne. Depuis quatre ou cinq jours il pleuvait de la sorte, et les toits, l'appui des fenêtres, les parapluies avaient des reflets pareils à l'eau de la Seine que le commissaire apercevait en penchant la tête.

M. Pyke ne bougeait pas. Il restait assis sur sa chaise, dans un coin, aussi raide que dans une salle d'attente, et cela commençait à devenir exaspérant. Ses yeux, lentement, allaient du commissaire au petit homme et du petit homme au commissaire, sans qu'il fût possible de deviner ce qui se passait dans sa cervelle de fonctionnaire anglais.

— Vous savez, Caracci, que votre attitude pourrait vous coûter cher, que votre boîte pourrait bien être fermée définitivement ?

Le Corse, sans se laisser impressionner, adres-

6

sait à Maigret un clin d'œil presque complice, souriait, lissait de son doigt bagué les virgules noires de ses moustaches.

— J'ai toujours été régulier, mon commissaire. Demandez plutôt à votre collègue Priollet.

Bien qu'il y eût un mort, c'était en effet le commissaire Priollet, chef de la brigade mondaine, que cette affaire regardait à cause du milieu spécial où elle avait éclaté. Par malheur, Priollet était dans le Jura, à l'enterrement de quelque parent.

— En somme, vous refusez de parler ?

— Je ne refuse pas, mon commissaire.

Maigret, lourdement, l'air bourru, alla ouvrir la porte.

— Lucas ! Travaille-le encore un peu.

Oh ! ce regard que M. Pyke fixait sur lui ! M. Pyke avait beau être l'homme le plus sympathique de la terre, il y avait des moments où Maigret se surprenait à le haïr. Exactement comme cela se passait avec son beau-frère, qui s'appelait Mouthon. Une fois par an, au printemps, Mouthon débarquait à la gare de l'Est en compagnie de sa femme, qui était la sœur de Mme Maigret.

C'était, lui aussi, l'homme le plus sympathique de la terre, il n'aurait jamais fait de mal à personne. Quant à sa femme, elle était la gaieté personnifiée et, dès son arrivée dans l'appartement du boulevard Richard-Lenoir, elle réclamait un tablier pour aider au ménage. Le premier jour, c'était parfait. Le second jour, c'était presque aussi parfait.

— Nous partons demain, annonçait alors Mouthon.

— Mais non ! Mais non ! ripostait Mme Maigret. Pourquoi partiriez-vous déjà ?

— Parce que nous finirions par vous déranger.

— Jamais de la vie !

Maigret aussi prononçait avec conviction :

— Jamais de la vie !

Le troisième jour, il souhaitait qu'un travail imprévu l'empêchât de dîner chez lui. Or, jamais, depuis que sa belle-sœur était mariée à Mouthon et que le couple venait les voir tous les ans, jamais, au grand jamais, une de ces affaires qui vous tiennent dehors pendant des jours et des nuits n'avait éclaté à ce moment-là.

Dès le cinquième jour, sa femme et lui échangeaient des regards navrés, et les Mouthon restaient neuf jours, invariablement gentils, charmants, prévenants, aussi discrets qu'on peut l'être de sorte qu'on s'en voulait encore plus d'en arriver à les détester.

Il en était de même pour M. Pyke. Pourtant, cela ne faisait que trois jours qu'il accompagnait Maigret dans toutes ses allées et venues. Une fois, pendant les vacances, on avait dit aux Mouthon, négligemment :

— Pourquoi ne venez-vous pas passer une semaine à Paris, au printemps ? Nous avons une chambre d'amis qui est toujours vide.

Ils étaient venus.

Pareillement, quelques semaines plus tôt, le préfet de police avait rendu une visite officielle au Lord Maire de Londres. Celui-ci lui avait fait visiter les bureaux du fameux Scotland Yard, et le préfet avait été agréablement surpris en constatant que les hauts fonctionnaires de la police anglaise connaissaient Maigret de réputation et s'intéressaient à ses méthodes.

— Pourquoi ne viendriez-vous pas le voir travailler ? avait dit l'excellent homme.

On l'avait pris au mot. Comme les Mouthon. On avait envoyé l'inspecteur Pyke et, depuis trois jours, celui-ci suivait Maigret partout, aussi discret, aussi effacé qu'on peut l'être. Il n'en était pas moins là.

Malgré ses trente-cinq ou quarante ans, il paraissait si jeune qu'il faisait penser à un étudiant sérieux. Il était sûrement intelligent, peut-être d'une intelligence aiguë. Il regardait, écoutait, réfléchissait. Il réfléchissait tellement qu'on avait l'impression de l'entendre réfléchir et que cela en devenait fatigant.

C'était un peu comme si Maigret avait été mis en observation. Tous ses gestes, toutes ses paroles étaient passés au crible dans la caboche de l'impassible M. Pyke.

Or, depuis, trois jours, il n'avait rien eu d'intéressant à faire. De la routine. De la paperasserie. Des interrogatoires sans intérêt, comme celui de Caracci.

Ils en étaient arrivés à se comprendre sans rien dire, Pyke et lui. Par exemple, au moment où le patron de la boîte de nuit était emmené dans le bureau des inspecteurs dont on refermait la porte avec soin, les yeux de l'Anglais questionnaient sans équivoque :

— Passage à tabac ?

Probablement, oui. On ne met pas des gants avec les gens comme Caracci. Et après ? Cela n'avait aucune importance. L'affaire ne présentait aucun intérêt. Si le barman avait été descendu, c'est sans doute parce qu'il ne s'était pas montré régulier, ou parce qu'il appartenait à une bande rivale.

Périodiquement, ces gaillards-là règlent leurs comptes, s'entre-tuent et, au fond, c'est un excellent débarras.

Que Caracci parle ou se taise, il y aura tôt ou tard quelqu'un qui mangera le morceau, un indicateur vraisemblablement. Est-ce qu'ils ont des indicateurs, en Angleterre ?

— Allô !... Oui... C'est moi... Qui ?... Lechat ?... Connais pas... D'où dites-vous qu'il appelle ?... Porquerolles ? Passez-le-moi...

Toujours l'œil de l'Anglais fixé sur lui comme l'œil de Dieu dans l'histoire de Caïn.

— Allô !... J'entends très mal... Lechat ?... Oui... Bon... Ça, j'ai compris... Porquerolles... J'ai compris aussi...

L'écouteur à l'oreille, il regardait la pluie qui ruisselait sur les vitres et pensait qu'il devait y avoir du soleil à Porquerolles, une petite île en Méditerranée, au large d'Hyères et de Toulon. Il n'y était jamais allé, mais on lui en avait souvent parlé. Les gens en revenaient bruns comme des Bédouins. Au fait, c'était la première fois qu'on lui téléphonait d'une île et il se dit que les fils téléphoniques devaient passer sous la mer.

— Oui... Comment ?... Un petit blond, à Luçon ?... Je me souviens, en effet...

Il avait connu un inspecteur Lechat quand, à la suite d'histoires administratives assez embrouillées, il avait été envoyé pour quelques mois à Luçon, en Vendée.

— Vous appartenez maintenant à la brigade mobile de Draguignan, bon... Et vous me téléphonez de Porquerolles...

Il y avait de la friture sur la ligne. De temps en

temps, on entendait les demoiselles qui s'inter-
pellaient d'une ville à l'autre.

— Allô ! Paris... Paris... Allô ! Paris... Paris...

— Allô ! Toulon... Vous êtes Toulon, mon petit ? Allô ! Toulon...

Est-ce que le téléphone fonctionnait mieux de
l'autre côté de la Manche ? Impassible, M. Pyke
écoutait et le regardait et, par contenance, Maigret maniait un crayon.

— Allô !... Si je connais un certain Marcellin ?...
Quel Marcellin ?... Comment !... Un pêcheur ?...
Essayez d'être clair, Lechat... Je ne comprends
rien à ce que vous me racontez... Un type qui vit
dans une barque... Bon... Après ?... Il prétend qu'il
est mon ami ?... Hein ?... Il prétendait ?... Il est
mort ?... Il a été tué la nuit dernière ?... Cela ne
me regarde pas, mon petit Lechat... Ce n'est pas
mon secteur... Il avait parlé de moi toute la soirée ?... Et vous dites que c'est à cause de ça qu'il
est mort ?...

Il avait lâché son crayon et essayait, de sa
main libre de rallumer sa pipe.

— Je prends note, oui... Marcel... Ce n'est plus
Marcellin... Comme vous voudrez... P comme
Paul... A comme Arthur... C comme cinéma...
oui... Pacaud... Vous avez envoyé les empreintes
digitales ?... Une lettre de moi ?... Vous êtes sûr ?...
Du papier à en-tête ?... A en-tête de quoi ?... *Brasserie des Ternes*... C'est possible... Et qu'est-ce que
j'ai écrit ?...

Si seulement M. Pyke n'avait pas été là et ne
l'avait pas regardé obstinément !

— Je transcris, oui... « Ginette part demain
pour le sana. Elle vous embrasse. Cordialement... »
C'est signé Maigret ?... Mais non, ce n'est pas

nécessairement un faux... Je crois me souvenir de quelque chose... Je vais monter aux Sommiers... Aller là-bas ?... Vous savez bien que ce n'est pas mon affaire...

Il allait raccrocher, mais il ne put se retenir de poser une question, au risque d'étonner M. Pyke.

— Il y a du soleil, chez vous ?... Du mistral ?... Mais du soleil ?... Bon... Si j'ai un renseignement, je vous rappellerai... Promis...

Si M. Pyke posait peu de questions, il avait une façon de regarder qui obligeait Maigret à parler.

— Vous connaissez l'île de Porquerolles ? fit-il en allumant enfin sa pipe. Il paraît que c'est très beau aussi beau que Capri et que les îles grecques. Un homme y a été tué cette nuit, mais ce n'est pas mon secteur. On a retrouvé une lettre de moi dans son bateau.

— Elle est réellement de vous ?

— C'est probable. Le nom de Ginette me dit vaguement quelque chose. Vous montez avec moi ?

M. Pyke connaissait déjà tous les locaux de la P. J. dont on lui avait fait les honneurs. L'un derrière l'autre, ils montèrent dans les combles, où sont classées les fiches de ceux qui ont eu affaire à la Justice. A cause de l'Anglais, Maigret souffrait presque d'un complexe d'infériorité et il eut honte de l'employé chenu, en longue blouse grise, qui suçait des bonbons à la violette.

— Dites-moi, Langlois... A propos, votre femme va mieux ?

— Ce n'est pas ma femme, monsieur Maigret. C'est ma belle-mère.

— Ah ! oui. Je vous demande pardon... Elle a été opérée ?

— Elle est rentrée hier à la maison.

— Voulez-vous voir si vous avez quelque chose au nom de Marcel Pacaud ? Avec un *d* à la fin.

Est-ce que c'était mieux à Londres ? On entendait la pluie tambouriner sur le toit, dégringoler dans les gouttières.

— Marcel ? questionna l'employé, perché sur une échelle.

— C'est cela. Passez-moi sa fiche.

Outre les empreintes digitales, elle comportait une photographie de face et une de profil, sans faux col, sans cravate, sous la lumière crue de l'identité judiciaire.

« Pacaud, Marcel-Joseph-Etienne, né au Havre, navigateur... »

Maigret, les sourcils froncés, essayait de se souvenir, le regard fixé aux photos. L'homme, au moment où elles avaient été prises, avait trente-cinq ans. Il était maigre, mal portant. Une ecchymose, au-dessus de l'œil droit, semblait indiquer qu'il avait été interrogé sérieusement avant d'être mis entre les mains du photographe.

Suivait une liste assez longue de condamnations. Au Havre, à dix-sept ans, coups et blessures. A Bordeaux, un an plus tard, coups et blessures encore, avec ivresse sur la voie publique. Rébellion. Coups et blessures à nouveau dans un établissement mal famé de Marseille.

Maigret tenait la fiche de façon à permettre à son collègue anglais de lire en même temps que lui et M. Pyke ne manifestait aucune surprise, semblait dire :

« Nous avons ça aussi de l'autre côté de l'eau. »

« Vagabondage spécial... »

Est-ce qu'ils avaient ça également ? Cela signifiait que Marcel Pacaud avait exercé le métier de souteneur. Et selon l'habitude, on l'avait envoyé faire son service militaire aux Bataillons d'Afrique.

« Coups et blessures, à Nantes... »

« Coups et blessures, à Toulon... »

— Un bagarreur, dit simplement Maigret à M. Pyke.

Puis cela devenait plus grave.

« Paris. Entôlage. »

L'Anglais questionnait :

— Qu'est-ce que c'est ?

Allez expliquer ça à un monsieur appartenant à la nation qui passe pour la plus pudique du monde !

— C'est un vol, en quelque sorte, mais un vol commis dans des circonstances particulières. Lorsqu'un monsieur accompagne une demoiselle inconnue dans un hôtel plus ou moins louche et qu'il vient se plaindre ensuite que son portefeuille a disparu, cela s'appelle un entôlage. Presque toujours, la demoiselle a un complice, vous comprenez ?

— Je comprends.

Il y avait trois complicités d'entôlage au dossier de Marcel Pacaud et, chaque fois, il était question d'une certaine Ginette.

Ensuite les choses s'aggravaient encore, car il était question d'un coup de couteau que Pacaud aurait donné à un monsieur récalcitrant.

— C'est ce que vous appelez des mauvais garçons, je crois ? insinua doucement M. Pyke, dont le français était terriblement nuancé, si nuancé qu'il en devenait ironique.

— Exactement. Je lui ai écrit, je m'en souviens. Je ne sais pas comment cela se passe chez vous.

— Très correctement.

— Je n'en doute pas. Ici, il nous arrive de les bousculer. Nous ne sommes pas toujours gentils avec eux. Mais chose curieuse, il est rare qu'ils nous en veuillent. Ils savent que nous faisons notre métier. D'interrogatoire en interrogatoire, on finit par se connaître.

— C'est lui qui vous a appelé son ami ?

— Je suis persuadé qu'il était sincère. Je me souviens surtout de la fille et, ce qui me la rappelle le plus, c'est le papier à en-tête. Si nous en avons l'occasion, je vous montrerai la *Brasserie des Ternes*. C'est très confortable et la choucroute y est excellente. Vous aimez la choucroute ?

— A l'occasion, répondit l'Anglais sans enthousiasme.

— Il y a toujours, dans l'après-midi et la soirée, quelques dames assises devant un guéridon, c'est là que Ginette travaillait. Une Bretonne, qui venait d'un village des environs de Saint-Malo. Elle avait débuté comme bonne à tout faire chez un boucher du quartier. Elle adorait Pacaud, et lui se mettait à pleurer en parlant d'elle. Cela vous étonne ?

Rien n'étonnait M. Pyke, dont le visage ne trahissait aucun sentiment.

— Je me suis un peu occupé d'eux, en passant. Elle était pourrie de tuberculose. Elle n'avait jamais voulu se soigner parce que cela l'aurait éloignée de son Marcel. Quand il a été en prison, je l'ai décidée à aller voir un de mes amis, qui est phtisiologue, et il l'a fait admettre dans un sanatorium de Savoie. C'est tout.

— C'est cela que vous avez écrit à Pacaud ?

— C'est cela. Pacaud était à Fresnes et je n'avais pas le temps de m'y rendre.

Maigret remit la fiche à Langlois et s'engagea dans l'escalier.

— Si nous allions déjeuner ?

C'était encore un problème, presque un cas de conscience. S'il emmenait M. Pyke prendre ses repas dans des restaurants trop luxueux, il risquait de donner à ses collègues d'outre-Manche l'impression que la police française passe le plus clair de son temps en ripailles. Si au contraire, il le conduisait dans des prix fixes, on le taxerait peut-être de pingrerie.

Idem pour les apéritifs. En boire ? Ne pas en boire ?

— Vous comptez aller à Porquerolles ?

M. Pyke avait-il envie d'aller faire un tour dans le Midi ?

— Cela ne dépend pas de moi. Théoriquement, je n'ai rien à faire en dehors de Paris et du département de la Seine.

Le ciel était gris, d'un vilain gris sans espoir et il n'y avait pas jusqu'au mot mistral qui ne prît une allure tentatrice.

— Vous aimez les tripes ?

Il l'emmena aux Halles, lui fit manger des tripes à la mode de Caen et des crêpes Suzette qu'on leur servit sur de jolis réchauds en cuivre.

— C'est ce que nous appelons des journées creuses.

— Nous aussi.

Qu'est-ce que l'homme de Scotland Yard pouvait penser de lui ? Il était venu pour étudier les « méthodes de Maigret », et Maigret n'avait pas de méthode. Il ne trouvait qu'un gros homme un peu balourd, qui devait lui apparaître comme le prototype du fonctionnaire français. Pendant combien de temps allait-il le suivre de la sorte ?

A deux heures, ils étaient de retour quai des Orfèvres, et Caracci était toujours là, dans l'espèce de cage de verre qui sert de salle d'attente. Cela signifiait qu'on n'en avait rien tiré et qu'on allait le questionner à nouveau.

— Il a mangé ? questionna M. Pyke.

— Je ne sais pas. C'est possible. Quelquefois, on leur fait monter un sandwich.

— Et les autres fois ?

— On les laisse jeûner un peu pour les aider à se souvenir.

— Le patron vous demande, monsieur le commissaire.

— Vous permettez, monsieur Pyke.

C'était toujours ça de gagné. L'autre ne le suivrait pas dans le bureau du chef.

— Entrez, Maigret. Je viens de recevoir un coup de téléphone de Draguignan.

— Je sais de quoi il s'agit.

— Lechat, en effet, s'est mis en rapport avec vous. Vous avez beaucoup de travail en ce moment ?

— Pas trop. A part mon invité...

— Il vous ennuie ?

— C'est l'homme le plus correct de la terre.

— Vous vous souvenez du nommé Pacaud ?

— Je me suis souvenu de lui en consultant sa fiche.

— Vous ne trouvez pas que l'histoire est curieuse ?

— Je n'en sais que ce que Lechat m'a dit à

17

l'appareil et il voulait tellement expliquer que je n'ai pas compris grand-chose.

— Le commissaire central m'a parlé longuement. Il insiste pour que vous alliez faire un tour là-bas. A son avis, c'est à cause de vous que Pacaud a été tué.

— A cause de moi ?

— Il ne voit aucune autre explication au meurtre. Depuis plusieurs années, Pacaud, plus connu sous le nom de Marcellin, vit à Porquerolles, dans son bateau. C'est devenu une figure populaire. Autant que j'aie pu comprendre, il ressemble plutôt à un clochard qu'à un pêcheur. L'hiver, il vit sans rien faire. L'été, il emmène des touristes pêcher autour de l'île. Personne n'avait d'intérêt à sa mort. On ne lui connaît pas d'ennemis. Il ne s'est disputé avec personne. On ne lui a rien volé, pour l'excellente raison qu'il n'y avait rien à voler.

— Comment a-t-il été tué ?

— C'est justement ce qui intrigue le commissaire central.

Le chef consulta quelques notes qu'il avait prises au cours de sa conversation téléphonique.

— Comme je ne connais pas l'endroit, il m'est difficile de me faire une idée exacte. Avant-hier soir...

— Je croyais avoir compris que c'était hier...

— Non, avant-hier. Un certain nombre de gens étaient réunis à l'*Arche de Noé*. Cela doit être une auberge ou un café. A cette époque de l'année, on n'y voit, paraît-il, que des habitués. Tout le monde se connaît. Marcellin était là. Au cours d'une conversation à peu près générale, il a parlé de vous.

— Pourquoi ?

— Je n'en sais rien. On parle volontiers des gens célèbres. Marcellin a prétendu que vous étiez son ami. Peut-être certaines personnes avaient-elles émis des doutes sur vos qualités professionnelles ? Toujours est-il qu'il vous a défendu avec une chaleur peu commune.

— Il était ivre ?

— Il était toujours plus ou moins ivre. Il y avait un fort mistral. Je ne sais pas ce que le mistral vient faire là-dedans, mais, à ce que j'ai compris, il a son importance. C'est à cause du mistral, en particulier, que Marcellin, au lieu d'aller coucher dans son bateau, comme il le fait d'habitude, s'est dirigé vers une cabane qui se dresse près du port et où les pêcheurs rangent leurs filets. Quand on l'y a retrouvé, le lendemain matin, il avait reçu plusieurs balles dans la tête, tirées à bout portant, et une dans l'épaule. L'assassin a déchargé sur lui tout son barillet. Non content de ça, il l'a frappé au visage avec un objet lourd. Il paraît qu'il y a mis un acharnement extrême.

Maigret regarda la Seine, dehors, à travers le rideau de pluie, et pensa au soleil de la Méditerranée.

— Boisvert, commissaire central, est un type bien, que j'ai connu jadis. Il n'a pas l'habitude de s'emballer. Il vient d'arriver sur les lieux, mais il est obligé de repartir ce soir même. Il est d'accord avec Lechat pour penser que c'est la conversation à votre sujet qui a déclenché le drame. Il n'est pas loin de prétendre que c'était vous, en quelque sorte, qu'on visait à travers Marcellin. Vous comprenez ? Un homme qui vous en voudrait assez pour s'en prendre à quelqu'un qui se prétend votre ami et qui vous défend.

— Il y a des gens comme ça à Porquerolles ?

— C'est bien ce qui déroute Boisvert. Dans une île, on connaît tout le monde. Personne ne peut débarquer et repartir sans qu'on le sache. Jusqu'ici, il n'y a pas le moindre suspect. Ou alors, il faudrait suspecter contre toute vraisemblance. Qu'est-ce que vous en pensez ?

— Je pense que M. Pyke a envie d'aller faire un tour dans le Midi.

— Et vous ?

— Je crois que j'en aurais envie aussi s'il était question d'y aller tout seul.

— Quand partez-vous ?

— Je prendrai le train de nuit.

— Avec M. Pyke ?

— Avec M. Pyke !

-:-

Est-ce que l'Anglais s'imaginait que la police française dispose de voitures puissantes pour se rendre sur les lieux d'un crime ?

Il dut se figurer, en tout cas, que les commissaires de la P. J. jouissent de crédits illimités pour leurs déplacements. Maigret avait-il eu raison ? Seul, il se serait contenté d'une couchette. A la gare de Lyon, il hésita. Puis, au dernier moment, il prit deux places de wagon-lit.

C'était somptueux. Dans le couloir, ils rencontraient des voyageurs de grand luxe, aux bagages impressionnants. Une foule élégante, chargée de fleurs, accompagnait au train une vedette de cinéma.

— C'est le Train Bleu, murmura Maigret comme pour s'excuser.

Si seulement il avait pu savoir ce que pensait

son confrère ! Par-dessus le marché, ils étaient obligés de se déshabiller l'un devant l'autre et, demain matin, ils devraient partager le minuscule cabinet de toilette.

— En somme, dit M. Pyke, en pyjama et robe de chambre, c'est une enquête qui commence.

Qu'est-ce qu'il voulait dire au juste ? Son français avait quelque chose de tellement précis qu'on cherchait toujours un sens secret à ses paroles.

— C'est une enquête, oui.

— Vous avez recopié la fiche de Marcellin ?

— Non. Je vous avoue que je n'y ai pas pensé.

— Vous vous êtes inquiété de ce qu'est devenue la femme : Ginette, je crois ?

— Non.

Etait-ce un regard de reproche que M. Pyke lui lançait ?

— Vous êtes muni d'un mandat d'arrêt en blanc ?

— Non plus. Seulement d'une commission rogatoire, qui me permet de convoquer les gens et de les questionner.

— Vous connaissez Porquerolles ?

— Je n'y ai jamais mis les pieds. Je connais mal le Midi. J'ai fait une enquête, jadis, à Antibes et à Cannes, et je me souviens surtout d'une chaleur accablante et d'une envie de dormir qui ne me quittait pas.

— Vous n'aimez pas la Méditerranée ?

— En principe, je n'aime pas les endroits où je perds le goût de travailler.

— Parce que vous aimez travailler, n'est-ce pas ?

— Je ne sais pas.

C'était vrai. D'une part, il pestait chaque fois

21

qu'une affaire venait interrompre son train-train journalier. De l'autre, dès qu'on le laissait en paix pendant quelques jours, il devenait maussade et comme anxieux.

— Vous dormez bien en chemin de fer ?

— Je dors bien n'importe où.

— Le train ne vous aide pas à penser ?

— Je pense si peu, vous savez !

Cela le gênait de voir le compartiment plein de la fumée de sa pipe, d'autant plus que l'Anglais ne fumait pas.

— En somme, vous ignorez par quel bout vous allez commencer ?

— Absolument. Je ne sais même pas s'il y a un bout.

— Je vous remercie.

On sentait que M. Pyke avait enregistré les moindres mots de Maigret, les avait casés bien en ordre dans son cerveau, pour servir plus tard. C'était gênant au possible. On l'imaginait, de retour à Scotland Yard, rassemblant ses collègues (pourquoi pas devant un tableau noir ?) et annonçant de sa voix précise :

— Une enquête du commissaire Maigret...

Et si cela allait être un four ? Si c'était une de ces histoires dans lesquelles on patauge et dont on ne connaît la solution que dix ans plus tard, par le plus grand des hasards ? Si c'était une affaire banale, si demain Lechat se précipitait vers la portière en annonçant :

— Fini ! On a arrêté l'ivrogne qui a fait le coup. Il a avoué !

Si... Mme Maigret n'avait pas mis de robe de chambre dans sa valise. Elle n'avait pas voulu qu'il emportât la vieille, qui ressemblait à une

22

robe de moine, et il y avait deux mois qu'il devait en acheter une neuve. Il se sentait indécent dans sa chemise de nuit.

— Un bonnet de nuit ? proposa M. Pyke en lui tendant un flacon en argent et un gobelet. C'est ainsi que nous appelons le dernier whisky avant de se coucher.

Il but un gobelet de whisky. Il n'aimait pas ça. Peut-être M. Pyke n'aimait-il pas davantage le calvados que Maigret lui avait fait ingurgiter pendant trois jours ?

Il dormit et eut conscience qu'il ronflait. Quand il s'éveilla, il aperçut des oliviers en bordure du Rhône et sut ainsi qu'on avait dépassé Avignon.

Il y avait du soleil, une légère brume dorée au-dessus du fleuve. L'Anglais, rasé de frais, correct de la tête aux pieds était debout dans le couloir, le visage collé à la vitre. Le cabinet de toilette était aussi net que s'il n'avait jamais servi et il y flottait un discret parfum de lavande.

Sans savoir encore s'il était de bonne humeur ou de mauvais poil, Maigret grommela en cherchant son rasoir dans sa valise :

— Maintenant, il s'agit de ne pas faire le couillon !

C'était peut-être l'impeccable correction de M. Pyke qui le rendait grossier...

CHAPITRE

2

Les clients de l'Arche.

EN SOMME, LE PRE-
mier round s'était assez bien passé. Ce qui ne
signifie pas qu'il y ait eu compétition entre les
deux hommes, en tout cas sur le terrain professionnel. Si M. Pyke participait plus ou moins à
l'activité policière de Maigret, ce n'était qu'en
qualité de spectateur.

Maigret, pourtant, pensait « premier round »,
en sachant que c'était inexact. N'a-t-on pas le
droit, dans sa tête, d'user de son langage à soi ?

Lorsqu'il avait rejoint l'inspecteur anglais dans
le couloir du *pullman*, par exemple, il est certain
que celui-ci, surpris, n'avait pas eu le temps d'effacer l'impression d'émerveillement qui le trans-
figurait. Simple pudeur, parce qu'un fonctionnaire
de Scotland Yard n'a pas à se préoccuper du lever
du soleil sur un des plus beaux paysages du
monde ? Ou bien l'Anglais répugnait-il à extério-
riser une admiration, qu'il jugeait indécente, à
l'égard d'un spectateur étranger ?

Maigret, en son for intérieur, avait marqué un point, sans hésiter.

Dans le wagon-restaurant, M. Pyke en avait marqué un à son tour, en toute justice. Un rien. Un léger pincement des narines à l'arrivée des œufs au bacon, qui étaient incontestablement moins bons que dans son pays.

— Vous ne connaissez pas la Méditerranée, monsieur Pyke ?

— J'ai l'habitude de passer mes vacances dans le Sussex. Pourtant je suis allé une fois en Egypte. La mer était grise, houleuse, et il a plu pendant toute la traversée.

Et Maigret, qui, au fond, n'aimait pas trop le Midi, se sentait chatouillé par l'envie de le défendre.

Un point douteux : le maître d'hôtel, qui avait reconnu le commissaire, qu'il avait dû servir ailleurs, vint lui demander d'une voix insinuante, aussitôt après son petit déjeuner :

— Un petit alcool, comme d'habitude ?

Or, la veille ou l'avant-veille, l'inspecteur avait remarqué, avec l'air de ne pas y toucher, qu'un gentleman anglais ne boit jamais de boissons fortes avant la fin de l'après-midi.

L'arrivée à Hyères était, sans discussion possible, un round en faveur de Maigret. Les palmiers, autour de la gare, étaient immobiles, figés dans un soleil saharien. C'était à croire qu'il y avait, ce matin-là, un marché important, une foire ou une fête, car les charrettes, les camionnettes les lourds camions étaient de mouvantes pyramides, de primeurs, de fruits et de fleurs.

M. Pyke, tout comme Maigret, en eut la respiration un peu coupée. On sentait vraiment qu'on entrait dans un autre monde et on était gêné d'y entrer avec les vêtements sombres qui avaient servi la veille au soir dans les rues pluvieuses de Paris.

Il aurait fallu, comme l'inspecteur Lechat, porter un complet réséda, une chemise à col ouvert, exhiber un coup de soleil saignant sur le front. Maigret ne l'avait pas reconnu tout de suite, car il se souvenait davantage de son nom que de son aspect. Lechat, qui se faufilait parmi les porteurs, avait presque l'air d'un gamin, petit et maigre, sans chapeau, les pieds chaussés d'espadrilles.

— Par ici, patron !

Etait-ce un bon point ? Car, si ce diable de M. Pyke enregistrait tout, on ne pouvait savoir ce qu'il classait dans la bonne colonne et ce qu'il inscrivait dans la mauvaise. Administrativement, Lechat aurait dû appeler Maigret « Monsieur le commissaire », car il n'appartenait pas à son service. Mais il y avait peu de policiers en France pour résister au plaisir de lui dire « patron » avec une familiarité affectueuse.

— Monsieur Pyke, vous connaissez d'avance l'inspecteur Lechat. Lechat, je vous présente M. Pyke, de Scotland Yard.

— Ils sont sur l'affaire aussi ?

Lechat était tellement plongé dans son histoire de Marcellin que cela ne le surprenait nullement qu'on en fît une affaire internationale.

— M. Pyke accomplit en France un voyage d'études.

Pendant qu'on traversait la foule, Maigret se demandait ce que Lechat avait à marcher d'une drôle de façon, toujours de travers, en se démanchant le cou.

— Faisons vite, disait-il. J'ai la voiture à la porte.

C'était la petite auto de service. Une fois dedans, seulement, l'inspecteur soupira :

— Je crois que vous devriez être prudent. Tout le monde est d'avis que c'est après vous *qu'ils en ont*.

Ainsi, dans la foule, quelques instants auparavant, c'était Maigret que le minuscule Lechat s'efforçait de protéger !

— Je vous conduis tout de suite dans l'île ? Vous n'avez rien à faire à Hyères ?

Et ils roulaient. Le terrain était plat, désert, la route bordée de tamaris, avec un palmier par-ci par-là, puis des salins blancs sur la droite. Le dépaysement était aussi total que si on s'était trouvé transporté en Afrique — avec un ciel d'un bleu de porcelaine, une atmosphère parfaitement immobile.

— Le mistral ? questionna Maigret avec une pointe d'ironie.

— Il a cessé tout à coup hier au soir. Il était temps. Il a soufflé pendant neuf jours et c'est assez pour mettre tout le monde à cran.

Maigret était sceptique. Les gens du Nord — et le Nord commence aux environs de Lyon — n'ont jamais pris le mistral au sérieux. M. Pyke était donc excusable de se montrer indifférent, lui aussi.

— Personne n'a quitté l'île. Vous pourrez questionner tous ceux qui s'y trouvaient quand Marcellin a été assassiné. Les pêcheurs n'étaient pas en mer, cette nuit-là, à cause de la tempête. Mais un torpilleur de Toulon et plusieurs sous-marins faisaient des exercices en rade de l'île. J'ai

27

téléphoné à l'Amirauté. Ils sont formels. Aucune embarcation n'a franchi la passe.

— Ce qui signifie que le meurtrier est toujours dans l'île.

— Vous verrez.

Lechat jouait l'ancien, qui connaît les lieux et les gens. Maigret était le nouveau, ce qui est toujours un rôle assez déplaisant. L'auto, après une demi-heure, s'arrêtait sur une pointe rocheuse où on ne voyait qu'une auberge de style provençal et quelques maisonnettes de pêcheurs peintes en rose et en bleu pâle.

Un point pour la France, car on restait la bouche ouverte. La mer était d'un bleu incroyable, comme on n'en voit d'habitude que sur les cartes postales, et là-bas, à l'horizon, une île s'étalait paresseusement au milieu de la surface irisée, avec des collines très vertes, des rochers rouges et jaunes.

Au bout de la jetée en planches, une barque de pêche attendait, peinte en vert pâle, avec un liston blanc.

— C'est pour nous. J'ai demandé à Gabriel de m'amener et de vous attendre. Le bateau qui fait le service, le *Cormoran*, ne vient qu'à huit heures du matin et à cinq heures de l'après-midi. Gabriel est un Galli. Je vous expliquerai. Il y a les Galli et les Morin. Presque tout le monde, dans l'île, appartient à une de ces deux familles.

Lechat portait les valises, qui paraissaient plus grosses au bout de ses bras. Le moteur tournait déjà. Tout cela était un peu irréel et il était difficile de penser qu'on n'était ici que pour s'occuper d'un homme mort.

— Je n'ai pas proposé de vous montrer le

28

corps. Il est à Hyères. L'autopsie a eu lieu hier matin.

Il y avait environ trois milles entre la pointe de Giens et Porquerolles. A mesure qu'on avançait sur l'eau soyeuse, les contours de l'île se précisaient, avec ses caps, ses baies, ses anciens forts dans la verdure et juste au milieu, un petit groupe de maisons claires, le clocher blanc d'une église sortie d'un jeu de construction.

— Vous croyez que je pourrai me procurer un costume de bain ? demanda l'Anglais à Lechat.

Maigret n'avait pas pensé à ça et, penché sur la lisse, il découvrait soudain, avec un peu de vertige, le fond de la mer qui glissait sous le bateau. Il y avait bien dix mètres de profondeur, mais l'eau était si limpide qu'on distinguait les moindres détails du paysage sous-marin. Et c'était un vrai paysage, avec ses plaines couvertes de verdure, ses collines rocailleuses, ses gorges et ses précipices, parmi lesquels les bancs de poissons paissaient comme des troupeaux.

Un peu gêné, comme s'il avait été surpris à jouer un jeu enfantin, Maigret rgearda M. Pyke, mais ce fut pour marquer un point de plus : l'inspecteur de Scotland Yard, presque aussi ému que lui, fixait lui aussi le fond de l'eau.

-:-

Ce n'est qu'après coup qu'on se rend compte de la configuration des lieux. Au premier abord, tout paraît étrange. Le port était minuscule, avec une jetée à gauche, une pointe rocheuse, couverte de pins maritimes, à droite. Dans le fond, des toits rouges, des maisons blanches et roses parmi les palmiers, les mimosas et les tamaris.

Maigret avait-il déjà vu des mimosas autrement que dans les corbeilles des petites marchandes de Paris ? Il ne se rappelait plus si les mimosas étaient en fleur lors de l'enquête qu'il avait menée à Antibes et à Cannes, quelques années plus tôt.

Sur la jetée, une pincée de personnes attendaient. Il y avait aussi des pêcheurs dans des barques peintes comme des accessoires de Noël.

On les regardait débarquer. Peut-être que les gens, à terre, formaient plusieurs groupes ? Maigret ne devait s'occuper de ces détails que plus tard. Par exemple, un homme vêtu de blanc, une casquette blanche sur la tête, le salua en portant la main à sa tempe, et il ne le reconnut pas tout de suite.

— C'est Charlot ! lui souffla Lechat à l'oreille.

Ce nom-là, sur le moment, ne lui disait rien. Une sorte de colosse aux pieds nus, qui ne prononçait pas un mot, entassait les bagages sur une brouette et poussait celle-ci vers la place du village.

Maigret, Pyke et Lechat suivaient. Et, derrière eux, ceux du pays suivaient aussi ; tout cela dans un étrange silence.

La place était vaste et nue, encadrée d'eucalyptus, de maisons en couleur, avec, au sommet, la petite église jaune à clocher blanc. On voyait plusieurs cafés aux terrasses ombragées.

— J'aurais pu vous retenir des chambres au *Grand Hôtel*. Il est ouvert depuis quinze jours.

C'était un immeuble assez grand qui dominait le port, et un homme en tenue de cuisinier se tenait sur le seuil.

— J'ai cru préférable de vous installer à l'*Arche de Noé*. Je vous expliquerai.

Il y avait déjà beaucoup de choses que l'inspecteur devait expliquer. La terrasse de l'*Arche*, sur la place, était plus large que les autres, limitée par une murette et par des plantes vertes. A l'intérieur, il faisait frais, un peu sombre, ce qui n'avait rien de désagréable, et on était saisi tout de suite par l'odeur pointue de la cuisine et du vin blanc.

Encore un homme en tenue de cuisinier, mais sans bonnet sur la tête. Il s'avançait la main tendue, un sourire radieux sur le visage.

— Heureux de vous accueillir, monsieur Maigret. Je vous ai donné la meilleure chambre. Vous prendrez bien un petit vin blanc du pays ?

Lechat soufflait :

— C'est Paul, le patron.

Il y avait des carreaux rouges par terre. Le bar était un vrai bar de bistrot, en étain. Le vin blanc était frais, un peu vert, plein de saveur.

— A votre santé, monsieur Maigret. Je n'osais pas espérer que j'aurais un jour l'honneur de vous recevoir ici.

Il ne pensait pas que c'était à un crime qu'il le devait. Personne ne semblait se préoccuper de la mort de Marcellin. Les groupes qu'on avait vus tout à l'heure près de la jetée étaient maintenant sur la place et se rapprochaient insensiblement de l'*Arche de Noé*. Il y avait même quelques personnes qui s'asseyaient à la terrasse.

En somme, ce qui comptait, c'était l'arrivée de Maigret en chair et en os, exactement comme s'il avait été une vedette de cinéma.

Est-ce qu'il faisait bonne figure ? Est-ce que les gens de Scotland Yard possèdent plus d'assurance dès le début d'une enquête ? M. Pyke regardait tout et ne disait rien.

— J'aimerais me rafraîchir un peu, soupira enfin Maigret, après avoir bu deux verres de vin blanc.

— Jojo ! Veux-tu montrer sa chambre à M. Maigret ? Votre ami monte aussi, monsieur le commissaire ?

Jojo était une petite bonne noireaude, vêtue de noir, avec un grand sourire et des petits seins pointus.

Toute la maison sentait la bouillabaisse et le safran. En haut de l'escalier, dallé de rouge comme la salle du café, il n'y avait que trois ou quatre chambres et on avait, en effet, réservé la plus belle au commissaire, celle dont une fenêtre donnait sur la place et l'autre sur la mer. Devait-il l'offrir à M. Pyke ? Il était trop tard. On avait déjà désigné une autre porte à celui-ci.

— Vous n'avez besoin de rien, monsieur Maigret ? La salle de bains est au fond du couloir. Je crois qu'il y a de l'eau chaude.

Lechat l'avait suivi. C'était naturel. C'était normal. Pourtant il ne le fit pas entrer. Il lui semblait que ce serait une sorte d'inélégance vis-à-vis de son collègue anglais. Celui-ci pourrait s'imaginer qu'on lui cachait quelque chose, qu'on ne le faisait pas assister à *toute* l'enquête.

— Je descends dans quelques minutes, Lechat.

Il aurait voulu trouver un mot aimable pour l'inspecteur, qui s'occupait de lui avec tant de sollicitude. Il crut se souvenir qu'à Luçon il était beaucoup question de sa femme. Debout dans l'encadrement de la porte, il questionna, cordial et familier :

— Comment va cette excellente Mme Lechat ?

Et le pauvre garçon de balbutier :

— Vous ne saviez pas ? Elle est partie. Il y a huit ans qu'elle est partie.

La gaffe ! Cela lui revenait tout à coup. Si on parlait tant de Mme Lechat, à Luçon, c'est qu'elle trompait son mari avec frénésie.

—:—

Dans sa chambre, il ne fit rien, que retirer son veston, se laver les mains, les dents et le visage, s'étirer devant la fenêtre, s'étendre quelques minutes sur le lit comme pour en essayer les ressorts. Le décor était vieillot, gentil, avec toujours cette bonne odeur de cuisine méridionale qui envahissait tous les recoins de la maison. Il hésita, car il faisait chaud, à descendre en bras de chemise, mais il pensa que cela ferait trop vacances et remit son veston.

Quand il arriva en bas, plusieurs personnes étaient au bar, surtout des hommes en tenue de pêcheurs. Lechat l'attendait sur le seuil.

— Vous voulez marcher un peu, patron ?

— Il serait préférable que nous attendions M. Pyke.

— Il est déjà dehors.

— Où ça ?

— Dans l'eau. Paul lui a prêté un costume de bain.

Ils se dirigèrent inconsciemment vers le port. La pente du sol y conduisait d'elle-même. On sentait que tout le monde devait fatalement suivre le même chemin.

— Je crois, patron, que vous devez être très

prudent. Celui qui a tué Marcellin vous en veut et essayera de vous avoir.

— Il vaudrait mieux attendre que M. Pyke soit sorti de l'eau.

Lechat désigna une tête qui émergeait, au-delà des bateaux.

— Il s'occupe de l'enquête ?

— Il y assiste. Nous ne devons pas avoir l'air de comploter derrière son dos.

— Nous aurions été plus tranquilles au *Grand Hôtel*. Il ferme pendant l'hiver. Il vient seulement d'ouvrir et il n'y a personne. Seulement, c'est chez Paul que tout le monde se réunit. C'est de là que tout est parti, puisque c'est là que Marcellin a parlé de vous en prétendant que vous étiez son ami.

— Attendons M. Pyke.

— Vous voulez interroger les gens devant lui ?

— Il faudra bien.

Lechat fit la grimace, mais n'osa pas protester.

— Où comptez-vous les convoquer ? Il n'y a guère que la mairie. Une seule pièce, avec des bancs, une table, les drapeaux du 14 Juillet et un buste de la République. Le maire tient l'épicerie, à côté de l'*Arche de Noé*. C'est lui que vous voyez passer là-bas, poussant une charrette à bras.

M. Pyke reprenait pied près d'une barque attachée à sa chaîne, marchait dans l'eau, paisiblement, faisait des éclaboussures dans le soleil.

— Cette eau est merveilleuse, disait-il.

— Si vous voulez, nous vous attendrons ici pendant que vous allez vous rhabiller ?

— Je suis très « confortable ».

Cette fois-ci, il marquait un point à son tour. Il était, en effet, aussi à son aise en maillot de bain, avec des gouttes d'eau salée qui dégoulinaient le long de son corps maigre, que dans son complet gris.

Il désignait un yacht noir, non dans le port, mais à l'ancre à quelques encâblures. On y reconnaissait le pavillon anglais.

— Qui est-ce ?

Lechat expliqua :

— Le bateau s'appelle *North Star.* Il paraît que cela signifie l'Etoile du Nord. Il vient ici à peu près tous les ans. Il appartient à Mrs Ellen Wilcox : c'est aussi, je crois, un nom de whisky. C'est elle la propriétaire du whisky Wilcox.

— Elle est jeune ?

— Elle est assez bien conservée. Elle vit à bord avec son secrétaire, Philippe de Moricourt, et deux hommes d'équipage. Il y a un autre Anglais dans l'île, qui y vit toute l'année. On aperçoit sa maison d'ici. C'est celle qui est flanquée d'un minaret.

M. Pyke n'avait pas l'air tellement enchanté de rencontrer des compatriotes.

— C'est le major Bellam, mais les gens de l'île l'appellent simplement Major, et parfois Teddy.

— Je suppose que c'est un major de l'armée des Indes ?

— Je ne sais pas.

— Il boit beaucoup ?

— Beaucoup. Vous le verrez ce soir à l'*Arche.* Vous verrez tout le monde à l'*Arche,* y compris Mrs Wilcox et son secrétaire.

— Ils étaient présents quand Marcellin a parlé ? questionna Maigret pour dire quelque chose car, en réalité, il ne s'intéressait encore à rien.

— Ils y étaient. Tout le monde, pratiquement,

était à l'*Arche*, comme chaque soir. Dans une semaine ou deux, les touristes commenceront à affluer et la vie sera différente. Pour le moment, ce n'est plus tout à fait la vie d'hiver, quand les habitants sont seuls dans l'île, et ce n'est pas encore ce qu'on appelle la saison. Seuls les habitués sont arrivés. Je ne sais pas si vous comprenez. La plupart viennent ici depuis des années, connaissent tout le monde. Il y a huit ans que le major vit au Minaret. La villa voisine est celle de M. Emile.

Lechat regarda Maigret avec l'air d'hésiter. Peut-être que, devant l'Anglais, il lui venait, à lui aussi, une sorte de pudeur patriotique.

— M. Emile ?

— Vous le connaissez. En tout cas, lui vous connaît. Il vit avec sa mère, la vieille Justine, qui est une des femmes les plus célèbres de la Côte. C'est elle qui est propriétaire des *Fleurs*, à Marseille, des *Sirènes* de Nice, de deux ou trois maisons à Toulon, à Béziers, à Avignon...

Est-ce que M. Pyke avait compris de quel genre de maisons il s'agissait ?

— Justine a soixante-dix-neuf ans. Je la croyais plus âgée, car M. Emile avoue soixante-cinq ans. Il paraît qu'elle l'a eu à quatorze ans. C'est elle qui me l'a affirmé hier. Ils sont très calmes, tous les deux, ne reçoivent personne. Tenez. C'est M. Emile que vous apercevez dans son jardin, en complet blanc, avec un casque colonial. Il a l'air d'une souris blanche. Il possède un petit bateau, comme tout le monde, mais il ne va guère plus loin que le bout de la jetée, où il se contente, pendant des heures, de pêcher la girelle.

— Qu'est-ce que c'est ? questionna M. Pyke, dont la peau commençait à sécher.

— La girelle ? Un petit poisson fort joli, avec du rouge et du bleu sur le dos. Ce n'est pas mauvais en friture, mais ce n'est pas une pêche sérieuse. Vous comprenez ?

— Je comprends.

Ils marchaient tous les trois dans le sable, longeant le derrière des maisons dont la façade donnait sur la place.

— Il y a un autre type du milieu. Nous mangerons probablement à la table voisine de la sienne. C'est Charlot. Tout à l'heure, quand nous avons débarqué, il vous a dit bonjour, patron. Je lui ai demandé de rester et il n'a pas protesté. C'est même curieux que personne n'ait demandé à partir. Ils sont tous très calmes, très sages.

— Le grand yacht ?

Il y avait en effet, un énorme yacht blanc, pas très beau, tout en métal, qui remplissait presque le port.

— L'*Alcyon* ? Il est là toute l'année. Il appartient à un industriel de Lyon, M. Jaureguy, qui ne s'en sert pas plus de huit jours par an. Encore est-ce pour aller se baigner, tout seul, à une portée de fusil de l'île. Ils sont deux matelots à bord, deux Bretons, qui ont la bonne vie.

L'Anglais s'attendait à voir Maigret prendre des notes ? Il le voyait fumer sa pipe en regardant paresseusement autour de lui et en écoutant Lechat d'une oreille distraite.

— Regardez le petit bateau vert, à côté, qui a une si drôle de forme. La cabine est exiguë et pourtant il y a deux personnes, un homme et une femme, qui y vivent. Ils ont arrangé, avec la voile, une tente au-dessus du pont, et, la plupart du temps, c'est là qu'ils couchent. Ils y font leur cuisine, leur toilette. Ceux-là ne sont pas des habitués de l'île. On les a trouvés un matin amarrés à la place où ils sont. L'homme s'appelle Jef de Greef et est hollandais. C'est un peintre. Il n'a que vingt-quatre ans. Vous le verrez. La fille s'appelle Anna et n'est pas sa femme. J'ai eu leurs papiers entre les mains. Elle a dix-huit ans. Elle est née à Ostende. Elle est toujours à moitié nue et même plus qu'à moitié. Dès que le soir tombe, on peut les voir tous les deux se baigner au bout de la jetée sans le moindre vêtement.

Lechat eut soin d'ajouter à l'intention de M. Pyke :

— Il est vrai que Mrs Wilcox, si j'en crois les pêcheurs, en fait autant autour de son yacht.

On les observait, de loin. Toujours des petits groupes qui avaient l'air de ne rien avoir à faire d'autre de toute la journée.

— Encore cinquante mètres et vous verrez le bateau de Marcellin.

Le port, maintenant, n'était plus bordé par le derrière des maisons de la place, mais par des villas, la plupart enfouies dans la verdure.

— Elles sont vides, sauf deux, expliquait Lechat. Je vous dirai à qui elles appartiennent. Celle-ci est celle de M. Emile et de sa mère. Je vous ai déjà parlé du Minaret.

Un mur de soutènement séparait les jardins de la mer. Chaque villa avait sa petite jetée. A une de ces jetées, un bateau du pays, pointu des deux bouts, long de six mètres environ, était amarré.

— C'est le bateau de Marcellin.

Il était sale, le pont en désordre. Contre le mur,

on voyait une sorte de foyer fait de grosses pierres, une marmite, des bidons noircis par la fumée, des litres vides.

— C'est vrai que vous l'avez connu, patron ? A Paris ?

— A Paris, oui.

— Ce que les gens du pays refusent de croire, c'est qu'il soit né au Havre. Tout le monde est persuadé que c'est un vrai Méridional. Il avait l'accent. C'était un drôle de type. Il vivait dans son bateau. De temps en temps, il allait faire un tour sur le continent, comme il disait, c'est-à-dire qu'il allait s'amarrer à la jetée de Giens, de Saint-Tropez ou du Lavandou. Quand il faisait trop mauvais temps, il allait coucher dans la cabane que vous voyez un peu au-dessus du port. C'est là que les pêcheurs font bouillir leurs filets. Il n'avait pas de besoins. Le boucher lui donnait un morceau de viande par-ci, par-là. Il ne pêchait pas beaucoup, et seulement l'été, quand il emmenait des touristes. Ils sont quelques-uns comme lui sur la Côte.

— Vous en avez aussi en Angleterre ? demanda Maigret à M. Pyke.

— Il fait trop froid. Nous n'avons que les rats de quais, dans les ports.

— Il buvait ?

— Du vin blanc. Quand on avait besoin de lui pour un coup de main, on le payait avec une bouteille de vin blanc. Il en gagnait aussi aux boules, car il était très fort aux boules. C'est dans le bateau que j'ai trouvé la lettre. Je vous la remettrai tout à l'heure. Je l'ai laissée à la mairie.

— Pas d'autres papiers ?

— Son livret militaire, une photographie de

femme, et c'est tout. C'est drôle qu'il ait gardé votre lettre, vous ne trouvez pas ?

Maigret ne trouvait pas cela tellement étonnant. Il aurait aimé en parler à M. Pyke, dont le maillot de bain séchait par plaques. Ce serait pour plus tard.

— Vous voulez visiter la cabane ? Je l'ai fermée, j'ai la clef en poche : il faudra que je la rende aux pêcheurs, qui en ont besoin.

Pas de cabane maintenant. Maigret avait faim. Et aussi il avait hâte de voir son collègue anglais dans une tenue moins sommaire. Cela le gênait, sans raison précise. Il n'avait pas l'habitude de conduire une enquête en compagnie d'un homme en costume de natation.

Il fallut encore boire du vin blanc. C'était décidément une tradition dans l'île. M. Pyke monta se rhabiller et redescendit sans cravate, le col de sa chemise ouvert, comme Lechat, et il avait eu le temps de se procurer, sans doute à l'épicerie du maire, une paire d'espadrilles en toile bleue.

Les pêcheurs, qui auraient bien voulu leur adresser la parole, n'osaient pas encore. L'*Arche* se composait de deux salles : la salle du café, où était le bar, et une pièce plus petite aux tables couvertes de nappes à carreaux rouges. Leur couvert était mis. Deux tables plus loin, Charlot était fort occupé à déguster des oursins.

Cette fois encore, il porta la main à sa tempe en regardant Maigret. Puis il ajouta, avec indifférence :

— Ça va ?

Ils avaient passé quelques heures, peut-être une nuit entière, en tête à tête, dans le bureau de Maigret, cinq ou six ans plus tôt. Le commissaire avait oublié son nom véritable. Tout le monde le connaissait sous le nom de Charlot.

Il faisait un peu de tout, la « remonte » pour les maisons de tolérance du Midi, la contrebande de cocaïne et de quelques autres produits ; il s'occupait aussi des courses de chevaux et, lors des élections, devenait un des agents électoraux les plus actifs de la Côte.

Il était fort soigneux de sa personne, avec des gestes mesurés, un calme imperturbable, une petite étincelle ironique dans les prunelles.

— Vous aimez la cuisine méridionale, monsieur Pyke ?

— Je ne la connais pas.

— Vous voulez l'essayer ?

— Avec plaisir.

Et Paul, le patron, de proposer :

— Des petits oiseaux, pour commencer ? J'en ai quelques brochettes qu'on m'a apportées ce matin.

C'étaient des rouges-gorges, Paul eut le malheur de l'annoncer en servant l'Anglais qui ne put s'empêcher de regarder son assiette avec attendrissement.

— Vous voyez, commissaire, que j'ai été gentil.

Charlot, de sa place, sans cesser de manger, leur adressait la parole à mi-voix.

— Je vous ai attendu sans impatience. Je n'ai même pas demandé à l'inspecteur la permission de m'absenter.

Un assez long silence.

— Je suis à votre disposition, quand vous voudrez. Paul vous dira que, ce soir-là, je n'ai pas quitté l'*Arche*.

— Vous êtes pressé ?

— De quoi ?

— De vous disculper ?

— Je déblaie le terrain, un point c'est tout. J'évite de mon mieux que vous nagiez trop longtemps. Car vous allez nager. Je nage bien, moi qui suis du pays.

— Vous connaissiez Marcellin ?

— J'ai trinqué cent fois avec lui, si c'est cela que vous voulez dire. C'est vrai que vous avez amené avec vous quelqu'un de Scotland Yard ?

Il examinait cyniquement M. Pyke comme un objet curieux.

— Ce n'est pas une affaire pour lui. Ce n'est même pas une affaire pour vous, si vous me permettez de vous donner mon opinion. Vous savez que j'ai toujours été régulier. Nous nous sommes déjà expliqués tous les deux. On ne s'est fâchés ni l'un ni l'autre. Comment s'appelle encore le petit brigadier grassouillet qui était dans votre bureau ? Lucas ! Comment va-t-il, Lucas ? Paul ! Jojo !... Hé !...

Comme on ne répondait pas, il se dirigea vers la cuisine et en revint un peu plus tard avec une assiette qui sentait l'aïoli.

— Je vous empêche peut-être de causer ?

— Pas du tout.

— Dans ce cas, il suffirait de me demander poliment de fermer ma gueule. J'ai trente-quatre ans tout juste. Pour préciser, je les ai eus hier, ce qui signifie que je commence à la connaître dans les coins. Il m'est arrivé d'avoir des explications avec vos collègues, que ce soit à Paris, à Marseille ou ailleurs. Ils n'ont pas toujours été corrects avec moi. Nous ne nous sommes pas toujours compris, mais il y a une chose que tout le monde vous dira : jamais Charlot ne s'est mouillé.

C'était vrai, si on entendait par-là qu'il n'avait jamais tué personne. Il devait avoir une bonne douzaine de condamnations à son actif, mais pour des délits relativement bénins.

— Vous savez pourquoi je viens régulièrement ici ? J'aime l'endroit, évidemment, et Paul est un copain. Mais il y a une autre raison. Regardez dans le coin gauche. La machine à sous. C'est à moi et j'en ai une cinquantaine de Marseille à Saint-Raphaël. Ce n'est pas très régulier. De temps en temps, ces messieurs font les méchants et m'en saisissent une ou deux.

Pauvre M. Pyke, qui avait tenu à manger ses petits oiseaux jusqu'au bout, en dépit de la sensibilité de son cœur ! Maintenant il reniflait l'aïoli en cachant mal sa crainte.

— Vous vous demandez pourquoi je parle tant, n'est-ce pas ?

— Je ne me suis encore rien demandé.

— Ce n'est pas mon habitude. Je vais vous le dire quand même. Il y a ici, je veux dire dans l'île, deux types sur qui toute l'affaire va fatalement retomber : c'est Emile et moi. Nous connaissons tous les deux la musique. Les gens sont bien gentils avec nous, surtout que nous avons la tournée facile. On échange des clins d'œil. On dit tout bas :

» — C'est des gars du milieu !

» Ou encore :

» — Vise celui-là. C'est un dur !

» N'empêche que, dès qu'il y a un pépin, c'est à nous qu'on s'en prend.

» J'ai compris, et c'est pourquoi je me suis tenu peinard. Des copains m'attendent sur la Côte et je n'ai même pas essayé de leur téléphoner. Votre petit inspecteur, qui a l'air si mignon, me tient à l'œil et l'envie le démange depuis deux jours de me mettre à l'ombre. Eh bien ! je vous dis simplement, pour vous éviter une gaffe : ce ne serait pas juste.

» C'est tout. Après ça, à votre service. »

Maigret attendit que Charlot fût sorti, un cure-dent aux lèvres, pour demander doucement à son collègue de Scotland Yard :

— Il vous arrive aussi, là-bas, de vous faire des amis parmi vos clients ?

— Pas tout à fait les mêmes.

— C'est-à-dire ?

— Nous n'avons pas beaucoup de gens comme ce monsieur. Certaines choses ne se passent pas de la même façon. Vous comprenez ?

Pourquoi Maigret pensa-t-il à Mrs Wilcox et à son jeune secrétaire ? Certaines choses, en effet, ne se passaient pas de la même façon.

— Par exemple, j'ai entretenu longtemps des relations, mettons cordiales, avec un fameux voleur de bijoux. Nous avons beaucoup de voleurs de bijoux. C'est un peu notre spécialité nationale. Ce sont presque toujours des hommes cultivés, qui sortent des meilleurs collèges, fréquentent les clubs élégants. La difficulté est la même pour nous que, pour vous, avec des gens comme ce monsieur, ou comme celui qu'il a appelé M. Emile : c'est de les prendre sur le fait. Pendant quatre ans, je me suis attaché aux pas du voleur dont je vous parle. Il le savait. Il nous arrivait souvent de prendre le whisky ensemble dans un bar.

« Nous avons aussi fait ensemble un certain nombre de parties d'échecs. »

44

— Et vous l'avez eu ?

— Jamais. Nous avons fini, lui et moi, par conclure un *gentlemen's agreement*. Vous comprenez ce terme ? Je le gênais considérablement, au point que, la dernière année, il n'a rien pu tenter et qu'il était vraiment dans la misère. De mon côté, je perdais beaucoup de temps à cause de lui. Je lui ai conseillé d'aller exercer ses talents ailleurs. C'est ainsi que vous dites ?

— Il est allé voler des bijoux à New York ?

— Je crois qu'il est à Paris, rectifia tranquillement M. Pyke en prenant à son tour un cure-dent.

Une seconde bouteille de vin de l'île, que Jojo avait apportée sans qu'on le demandât, était plus qu'à moitié vide. Le patron vint proposer :

— Un petit marc ? Après l'aïoli, c'est obligatoire.

Il faisait tiède, presque frais dans la salle, tandis qu'un soleil épais, bruissant de mouches, s'appesantissait sur la place.

Charlot, sans doute pour digérer, venait de commencer une partie de pétanque avec un pêcheur, et il y avait une demi-douzaine d'autres pour suivre la partie.

— Vous ferez les interrogatoires à la mairie ? s'enquit le petit Lechat, qui ne paraissait pas engourdi.

Maigret faillit répondre :

— Quels interrogatoires ?

Mais il ne fallait pas oublier M. Pyke, qui avalait son marc presque sans déplaisir.

— A la mairie, oui...

Il aurait préféré aller faire la sieste.

CHAPITRE

3

Le cercueil de Benoît.

M. FELICIEN JAMET,
le maire (on se contentait, bien entendu de l'appeler Félicien), vint avec sa clef leur ouvrir la porte de la mairie. Deux fois déjà, en le voyant traverser la place, Maigret s'était demandé ce qu'il y avait d'anormal dans sa tenue et il comprit tout à coup : peut-être parce qu'il vendait aussi des lampes, du pétrole, du fil de fer galvanisé et des clous, Félicien, au lieu de porter le tablier jaunâtre des épiciers, avait adopté la blouse grise des quincailliers. Il la portait très longue, à peu près jusqu'aux chevilles. Avait-il un pantalon en dessous ? S'en passait-il, à cause de la chaleur ? Toujours est-il que, si pantalon il y avait, il était trop court pour dépasser de la blouse, de sorte que le maire avait l'air d'être en chemise de nuit. Plus exactement — et l'espèce de calotte dont il se coiffait augmentait cette impression — il avait quelque chose de médiéval et on croyait l'avoir déjà aperçu quelque part sur un vitrail d'église.

— Je suppose, messieurs, que vous n'avez pas besoin de moi ?

Debout sur le seuil de la pièce poussiéreuse, Maigret et M. Pyke se regardaient, assez surpris, puis regardaient Lechat, et enfin Félicien. Sur la table, en effet celle qui servait pour les réunions du conseil municipal et pour les élections, était posé un cercueil en bois blanc qui ne paraissait pas de première fraîcheur.

Le plus naturellement du monde, M. Jamet leur dit :

— Si vous voulez me donner un coup de main, nous allons le remettre dans son coin. C'est le cercueil municipal. Nous sommes tenus, par la loi, de pourvoir aux obsèques des indigents, or, nous n'avons qu'un menuisier dans l'île, il se fait très vieux et travaille lentement. L'été, avec la chaleur, les corps ne peuvent pas attendre.

Il en parlait comme de la chose la plus banale, et Maigret épiait du coin de l'œil l'homme de Scotland Yard.

— Vous avez beaucoup d'indigents ?

— Nous en avons un, le vieux Benoît.

— De sorte que ce cercueil est destiné à Benoît ?

— En principe. Cependant, mercredi, il a servi à transporter à Hyères le corps de Marcellin. Ne craignez rien. On l'a désinfecté.

Il n'y avait dans la pièce que des chaises pliantes très confortables.

— Je vous laisse, messieurs ?

— Un instant encore. Qui est Benoît ?

— Vous avez dû l'apercevoir ou vous l'apercevrez : il porte les cheveux sur les épaules, une barbe hirsute. Tenez : par cette fenêtre, vous pouvez le voir qui fait la sieste sur un banc, près des joueurs de boules.

— Il est fort âgé ?

— On ne sait pas. Lui non plus. A l'entendre, il aurait près de cent ans, mais il doit se vanter. Il n'a pas de papiers. On ignore son nom exact. Il a débarqué dans l'île il y a très longtemps, alors que Morin-Barbu, qui tient le café du coin, était encore un jeune homme.

— D'où venait-il ?

— On ne sait pas non plus. D'Italie, sûrement. La plupart sont venus d'Italie. On reconnaît d'habitude à leur parler s'ils sont de Gênes ou des environs de Naples, mais Benoît a un langage à lui, il n'est pas facile à comprendre.

— Il est simple d'esprit ?

— Pardon ?

— Il est un peu fou ?

— Il est malin comme un singe. Aujourd'hui, il a l'air d'un patriarche. Dans quelques jours dès que les estivants arriveront, il se rasera la barbe et le crâne. Il fait ça tous les ans à la même époque. Et il commencera à pêcher le *mordu*.

Il fallait tout apprendre.

— Le *mordu* ?

— Les *mordus* sont des vers à tête très dure qu'on trouve dans le sable, au bord de la mer. Les pêcheurs s'en servent de préférence aux autres esches parce que ça tient l'hameçon. Cela se vend très cher. Tout l'été, Benoît pêche des *mordus*, dans l'eau jusqu'à mi-cuisses. Il a été maçon, dans son jeune temps. C'est lui qui a bâti bon nombre des maisons de l'île. Vous n'avez plus besoin de rien, messieurs ?

Maigret se hâta d'ouvrir la fenêtre, pour chasser

de la pièce l'odeur de moisi et de renfermé : on ne devait l'aérer que le 14 Juillet, en même temps qu'on sortait les drapeaux et les chaises.

Le commissaire ne savait pas au juste ce qu'il faisait là. Il n'avait aucune envie de procéder à des interrogatoires. Pourquoi avait-il dit oui quand l'inspecteur Lechat le lui avait proposé ? Par lâcheté, à cause de M. Pyke ? N'est-ce pas normal, quand on commence une enquête, de questionner les gens ? N'est-ce pas ainsi qu'ils font en Angleterre ? Le prendrait-on au sérieux s'il se mettait à rôder dans l'île en homme qui n'a rien d'autre à faire ?

Pourtant, c'était l'île qui l'intéressait en ce moment, et non telle ou telle personne en particulier. Ce que le maire venait de dire, par exemple, donnait le branle à tout un ordre de pensées encore floues. Ces hommes, sur des petits bateaux, qui allaient et venaient le long des côtes, comme chez eux, comme le long d'un boulevard ! Cela ne répondait pas à l'image qu'on se fait de la mer. Il lui semblait qu'ici la mer était quelque chose d'intime. A quelques milles de Toulon, on rencontrait des gens venus de Gênes et de Naples, tout naturellement, à quelques-uns dans une barque, en pêchant en chemin. Un peu comme Marcellin. On s'arrêtait et, si on se trouvait bien, on restait, peut-être écrivait-on au pays pour faire venir la femme ou la fiancée ?

— Vous voulez que je vous les amène un à un, patron ? Par qui voulez-vous commencer ?

Cela lui était égal.

— J'aperçois le jeune de Greef qui traverse la place avec son amie. Je vais le chercher ?

On le bousculait et il n'osait pas protester. Il

49

avait la consolation de constater que son collègue était aussi engourdi que lui.

— Ces témoins que vous allez entendre, questionna-t-il, sont convoqués régulièrement ?

— Pas le moins du monde. Ils viennent parce qu'ils le veulent bien. Ils ont le droit de répondre ou de ne pas répondre. La plupart du temps, ils aiment mieux répondre, mais ils pourraient exiger la présence d'un avocat.

Cela avait dû se dire que le commissaire était à la mairie, car des groupes, comme le matin, se formaient sur la place. Assez loin, sous les eucalyptus, Lechat était en conversation animée avec un couple qui finissait par le suivre. Un mimosa poussait juste à côté de la porte et son parfum sucré se mêlait curieusement à l'odeur moisie qui régnait dans la pièce.

— Je suppose que, chez vous, cela se passe avec plus de solennité ?

— Pas toujours. Souvent, à la campagne ou dans les petites villes, l'enquête du coroner se déroule dans l'arrière-salle d'une auberge.

De Greef paraissait d'autant plus blond que sa peau était aussi bronzée que celle d'un indigène de Tahiti. Il portait pour tout vêtement des shorts clairs et des espadrilles, cependant que sa compagne avait un paréo serré autour du corps.

— Vous désirez me parler ? questionna-t-il, méfiant.

Et Lechat, pour le rassurer :

— Entrez ! Le commissaire Maigret doit questionner tout le monde. C'est la routine.

Le Hollandais parlait le français sans presque d'accent. Il tenait un filet à la main. Sans doute allaient-ils tous les deux aux provisions, à la

Coopérative, quand l'inspecteur les avait inter-
pellés ?

— Il y a longtemps que vous vivez à bord de
votre bateau ?

— Trois ans. Pourquoi ?

— Pour rien. Vous êtes peintre, m'a-t-on dit ?
Vous vendez vos tableaux ?

— Quand l'occasion s'en présente.

— Elle se présente souvent ?

— C'est plutôt rare. J'ai vendu une toile à
Mrs Wilcox la semaine dernière.

— Vous la connaissez bien ?

— J'ai fait sa connaissance ici.

Lechat vint parler bas à Maigret. Il voulait savoir s'il pouvait aller chercher M. Emile, et le
commissaire lui fit signe que oui.

— Quel genre de personnage est-ce ?

— Mrs Wilcox ? Elle est très rigolote.

— Ce qui signifie ?

— Rien. J'aurais pu la rencontrer à Montparnasse, car elle passe par Paris tous les hivers.
Nous avons découvert que nous avions des amis
communs.

— Vous avez fréquenté Montparnasse ?

— J'ai vécu un an à Paris.

— Avec votre bateau ?

— Nous étions amarrés au Pont Marie.

— Vous êtes riche ?

— Je n'ai pas un sou.

— Dites-moi quel âge a exactement votre amie ?

— Dix-huit ans et demi.

Celle-ci, les cheveux dans la figure, la chair
moulée par le paréo, avait l'air d'une jeune sauva-
gesse et regardait Maigret et M. Pyke d'un œil
furieux.

— Vous n'êtes pas mariés ?

— Non.

— Ses parents s'y opposent ?

— Ils savent qu'elle vit avec moi.

— Depuis combien de temps ?

— Depuis deux ans et demi.

— Autrement dit, elle avait à peine seize ans quand elle est devenue votre maîtresse ?

Le mot ne les choqua ni l'un ni l'autre.

— Ses parents n'ont pas tenté de vous la reprendre ?

— Ils ont essayé plusieurs fois. Elle est revenue.

— En somme, ils se sont découragés ?

— Ils préfèrent ne plus y penser.

— De quoi viviez-vous à Paris ?

— En vendant de temps en temps une toile ou un dessin. J'avais des amis.

— Qui vous prêtaient de l'argent ?

— Parfois. D'autres fois, j'ai coltiné des légumes aux Halles. D'autres fois encore, j'ai distribué des prospectus.

— Vous aviez déjà le désir de venir à Porquerolles ?

— J'ignorais l'existence de cette île.

— Où vouliez-vous aller ?

— N'importe où, pourvu qu'il y eût du soleil.

— Et vous comptez aller où ?

— Plus loin.

— En Italie ?

— Ou ailleurs.

— Vous connaissiez Marcellin ?

— Il m'a aidé à recalfater mon bateau qui prenait l'eau.

— Vous étiez à l'*Arche de Noé* la nuit où il est mort ?

— Nous y sommes à peu près tous les soirs.

— Qu'est-ce que vous faisiez ?

— Nous jouions aux échecs, Anna et moi.

— Puis-je vous demander, monsieur de Greef, la profession de votre père ?

— Il est juge au tribunal de Groningue.

— Vous ne savez pas pourquoi Marcellin a été tué ?

— Je ne suis pas curieux.

— Il vous a parlé de moi ?

— S'il l'a fait, je n'ai pas écouté.

— Vous possédez un revolver ?

— Pour quoi faire ?

— Vous n'avez rien à me dire ?

— Rien du tout.

— Et vous, mademoiselle ?

— Rien, merci.

Il les rappela au moment où ils allaient sortir.

— Encore une question. Présentement, vous avez de l'argent ?

— Je vous ai dit que j'ai vendu un tableau à Mrs Wilcox.

— **Vous êtes allé** à bord de son yacht ?

— Plusieurs fois.

— Pour quoi faire ?

— Qu'est-ce qu'on fait à bord des yachts ?

— Je ne sais pas.

Alors de Greef laissa tomber avec une pointe de mépris.

— On boit. Nous avons bu. C'est tout ?

Lechat n'avait pas dû aller loin pour trouver M. Emile, car les deux hommes se tenaient dans une tache d'ombre, à quelques pas de la mairie. M. Emile paraissait plus vieux que ses soixante-cinq ans et il donnait une impression d'extrême fragilité, ne remuant qu'avec précaution, comme s'il avait peur de se casser. Il parlait bas, économisait jusqu'aux miettes d'énergie.

— Entrez, monsieur Emile. Nous nous connaissons déjà, n'est-ce pas ?

Comme le fils de Justine louchait vers une chaise, Maigret continua :

— Vous pouvez vous asseoir. Vous connaissiez Marcellin ?

— Très bien.

— Vous étiez en relation suivie avec lui ? Depuis quand ?

— Je ne pourrais pas dire au juste depuis combien d'années. Ma mère doit s'en souvenir exactement. Depuis que Ginette travaille pour nous.

Il y eut un petit silence. C'était très drôle. On aurait dit qu'une bulle venait de crever dans l'air calme de la pièce. Maigret, et M. Pyke se regardèrent. Qu'est-ce que M. Pyke avait dit en quittant Paris ? Il avait parlé de Ginette. Il s'était étonné — discrètement, comme il faisait toute chose — que le commissaire ne se fût pas enquis de ce que celle-ci était devenue.

Or il n'était pas besoin de recherches, ni de ruses. Tout simplement, dès les premiers mots, c'était M. Emile qui parlait de celle que, jadis, Maigret avait envoyée dans un sanatorium.

— Vous dites qu'elle travaille pour vous ? Ce qui signifie, je suppose, dans une de vos maisons.

— Dans celle de Nice.

— Un instant, monsieur Emile. Il y a une quinzaine d'années que je l'ai rencontrée aux Ternes, et ce n'était plus une gamine. Si je ne me trompe, elle avait largement dépassé la trentaine, et la tuberculose ne la rajeunissait pas. Elle doit donc avoir maintenant...

— Entre quarante-cinq et cinquante ans.

Et M. Emile ajouta le plus simplement du monde :

— C'est elle qui dirige *Les Sirènes,* à Nice.

Il valait mieux ne pas regarder M. Pyke, dont la moue devait être aussi ironique que sa bonne éducation le lui permettait. Est-ce que Maigret n'avait pas rougi ? Il avait conscience, en tout cas, d'être parfaitement ridicule.

Car enfin, jadis, il avait joué le terre-neuve. Après avoir envoyé Marcellin en prison, il s'était occupé de Ginette et, tout comme dans un roman populaire, « l'avait arrachée au trottoir » pour la faire admettre dans un sanatorium.

Il la revoyait fort bien, si maigre qu'on se demandait comment des hommes pouvaient se laisser tenter, avec des yeux fiévreux, une bouche lasse.

Il lui disait :

— Il faut vous soigner, mon petit.

Et elle répondait docile :

— Je veux bien, monsieur le commissaire. Si vous croyez que ça m'amuse !

Avec un rien d'impatience, Maigret questionnait maintenant en dévisageant M. Emile :

— Vous êtes sûr qu'il s'agit de la même femme ? A cette époque-là, elle était rongée de phtisie.

— Elle s'est soignée pendant plusieurs années.

— Elle est restée avec Marcellin ?

— Elle ne le voyait guère, vous savez. Elle est très occupée. Elle lui envoyait de temps en temps un mandat. Pas de grosses sommes. Il n'en avait pas besoin.

M. Emile prenait dans une petite boîte une pastille à l'eucalyptus qu'il suçait gravement.

— Il allait la voir à Nice ?

— Je ne crois pas. C'est une maison élégante. Vous devez la connaître.

— C'est à cause d'elle que Marcellin est venu dans le Midi ?

— Je ne sais pas. C'était un drôle de garçon.

— Ginette est à Nice en ce moment ?

— Elle nous a téléphoné ce matin d'Hyères. Elle a appris par les journaux ce qui est arrivé. Elle est à Hyères pour s'occuper des funérailles.

— Vous savez où elle est descendue ?

— A l'*Hôtel des Palmes*.

— Vous étiez à l'*Arche*, le soir de l'assassinat ?

— J'y suis passé pour prendre ma tisane.

— Vous êtes parti avant Marcellin ?

— Certainement. Je ne me couche jamais après dix heures.

— Vous l'avez entendu parler de moi ?

— Peut-être. Je n'ai pas fait attention. Je suis un peu dur d'oreille.

— Quels sont vos rapports avec Charlot.

— Je le connais, mais je ne le fréquente pas.

— Pourquoi ?

M. Emile cherchait visiblement à expliquer quelque chose de délicat.

— Ce n'est pas le même monde, vous comprenez ?

— Il n'a jamais travaillé pour votre mère ?

— Peut-être lui a-t-il parfois procuré du personnel.

— Il a été régulier ?

— Je crois.

56

— Marcellin vous a procuré du personnel aussi ?

— Non. Il ne s'occupait pas de ça.

— Vous ne savez rien ?

— Rien du tout. Je ne me mêle presque plus des affaires. Ma santé ne me le permet pas.

Qu'est-ce que M. Pyke pensait de tout ceci ? Est-ce qu'il y a des M. Emile en Angleterre aussi ?

— J'irai peut-être bavarder un moment avec votre mère.

— Vous serez le bienvenu, monsieur le commissaire.

Lechat était dehors, cette fois, en compagnie d'un jeune homme en pantalon de flanelle blanche, veston bleu croisé et casquette de yachtman.

— M. Philippe de Moricourt, annonça-t-il. Il débarquait justement avec le youyou.

— Vous désirez me parler, monsieur le commissaire ?

Il avait une trentaine d'années et, contrairement à ce qu'on aurait pu supposer, il n'était même pas beau garçon.

— Je suppose que c'est une formalité ?

— Asseyez-vous.

— C'est indispensable ? Je déteste être assis.

— Restez debout. Vous êtes le secrétaire de Mrs Wilcox ?

— A titre bénévole, évidemment. Mettons que je sois son hôte et que, par amitié, je lui serve à l'occasion de secrétaire.

— Mrs Wilcox écrit ses mémoires ?

— Non. Pourquoi me demandez-vous ça ?

— Elle s'occupe personnellement de sa maison de whisky ?

— Pas le moins du monde.

— Vous écrivez ses lettres personnelles ?

— Je ne vois pas où vous voulez en venir.

— A rien du tout, monsieur Moricourt.

— De Moricourt.

— Si vous y tenez. Je cherchais seulement à me faire une idée de votre travail.

— Mrs Wilcox n'est plus toute jeune.

— Justement.

— Je ne saisis pas.

— Cela n'a pas d'importance. Dites-moi, monsieur de Moricourt — c'est bien cela, n'est-ce pas ? — où avez-vous fait la connaissance de Mrs Wilcox ?

— C'est un interrogatoire ?

— C'est ce que vous voudrez que ce soit.

— Je suis obligé de répondre ?

— Vous pouvez attendre que je vous convoque régulièrement.

— Vous me considérez comme suspect ?

— Tout le monde est suspect et personne ne l'est.

Le jeune homme réfléchit quelques instants, jeta sa cigarette par la porte ouverte.

— Je l'ai rencontrée au casino de Cannes.

— Il y a longtemps ?

— Un peu plus d'un an.

— Vous êtes joueur ?

— Je l'ai été. C'est ainsi que j'ai perdu mon argent.

— Vous en aviez beaucoup ?

— La question me paraît indiscrète.

— Vous avez déjà travaillé ?

— J'ai été attaché au cabinet d'un ministre.

— Qui était probablement un ami de votre famille ?

— Comment le savez-vous ?

— Vous connaissez le jeune de Greef ?

— Il est venu à bord plusieurs fois, et nous lui avons acheté une toile.

— Vous voulez dire que Mrs Wilcox lui a acheté une toile ?

— C'est exact. Je vous demande pardon.

— Marcellin est allé à bord du *North Star*, lui aussi ?

— Cela lui est arrivé.

— Comme invité ?

— C'est difficile à expliquer, monsieur le commissaire. Mrs Wilcox est une personne très généreuse.

— Je m'en doute.

— Tout l'intéresse, surtout dans cette Méditerranée qu'elle adore et qui fourmille en types pittoresques. Marcellin était incontestablement un de ces types.

— On lui a servi à boire ?

— On sert à boire à tout le monde.

— Vous étiez à l'*Arche* la nuit du crime ?

— Nous étions en compagnie du major.

— Encore un type pittoresque, probablement ?

— Mrs Wilcox l'a connu jadis en Angleterre. C'est une relation mondaine.

— Vous buviez du champagne ?

— Le major ne boit que du champagne.

— Vous étiez tous les trois très gais ?

— Nous étions corrects.

— Marcellin s'est mêlé à votre groupe ?

— Tout le monde s'y est plus ou moins mêlé. Vous ne connaissez pas encore le major Bellam ?

— Je ne tarderai sans doute pas à avoir ce plaisir.

— C'est la générosité même. Lorsqu'il vient à l'*Arche*...

— Et il y va souvent ?

— C'est exact. Je disais qu'il manque rarement d'offrir une tournée générale. Chacun vient trinquer avec lui. Il y a si longtemps qu'il vit dans l'île qu'il connaît les enfants par leur prénom.

— Marcellin s'est donc approché de votre table. Il a bu une coupe de champagne.

— Non. Il avait horreur du champagne. Il prétendait que c'est tout au plus bon pour les demoiselles. On lui a fait apporter une bouteille de vin blanc.

— Il s'est assis ?

— Bien entendu.

— Il y avait d'autres personnes assises à votre table ? Charlot, par exemple ?

— Mais oui.

— Vous connaissez sa profession, si je puis employer ce mot-là ?

— Il ne cache pas qu'il est ce qu'on appelle un homme du Milieu. C'est un type, lui aussi.

— Et, en cette qualité, il lui est arrivé d'être invité à bord ?

— Je crois, monsieur le commissaire, qu'il n'y a personne dans l'île qui n'y soit venu.

— Même M. Emile ?

— Lui pas.

— Pourquoi ?

— Je ne sais pas. Je ne pense pas qu'il nous soit arrivé de lui adresser la parole. C'est plutôt un solitaire.

— Et il ne boit pas.

— En effet.

— Parce qu'on boit beaucoup, à bord, n'est-ce pas ?

— Cela arrive. Je suppose que c'est permis ?

— Marcellin était-il à votre table quand il s'est mis à parler de moi ?

— C'est probable. Je ne m'en souviens pas avec précision. Il racontait des histoires, comme d'habitude, Mrs Wilcox aimait l'entendre raconter des histoires. Il parlait de ses années de bagne.

— Il n'est jamais allé au bagne.

— Dans ce cas, il inventait.

— Pour amuser Mrs Wilcox. Donc il parlait du bagne. Et j'étais mêlé au récit ? Il était ivre ?

— Il n'était jamais tout à fait à jeun, surtout le soir. Attendez ? Il a dit qu'il avait été condamné à cause d'une femme.

— Ginette ?

— Peut-être. Il me semble me rappeler ce nom-là. C'est alors, je pense, qu'il a prétendu que vous vous étiez occupé d'elle. Quelqu'un a murmuré :

« — Maigret, c'est un *bourre* comme les autres. » Je vous demande pardon.

— De rien. Allez toujours.

— C'est tout. Là-dessus, il est parti à faire votre éloge, à dire que vous étiez son ami et que, pour lui, un ami, c'était sacré. Si je me souviens bien, Charlot l'a taquiné et il s'est excité de plus belle.

— Pouvez-vous me dire exactement comme cela s'est terminé ?

— C'est difficile. Il était tard.

— Qui est parti le premier ?

— Je ne sais pas. Paul avait depuis longtemps fermé les volets. Il était assis à notre table. On a bu une dernière bouteille. Je crois que nous sommes partis ensemble.

— Qui ?

— Le major nous a quittés sur la place pour regagner sa villa. Charlot, qui couche à l'*Arche,* est resté. Mrs Wilcox et moi nous sommes dirigés vers l'embarcadère, où nous avions laissé le youyou.

— Vous aviez un matelot avec vous ?

— Non. D'habitude, nous les laissons à bord. Il y avait un fort mistral, et la mer était houleuse. Marcellin a proposé de nous conduire.

— Il était donc avec vous quand vous vous êtes embarqués ?

— Oui. Il est resté à terre. Il a dû regagner la cabane.

— En somme, Mrs Wilcox et vous, êtes les dernières personnes à l'avoir vu vivant ?

— En dehors de l'assassin.

— Vous n'avez pas eu de peine à retourner au yacht ?

— Comment le savez-vous ?

— Vous m'avez dit que la mer était mauvaise.

—· Nous sommes arrivés trempés, avec vingt centimètres d'eau dans le youyou.

— Vous vous êtes couchés tout de suite ?

— J'ai préparé des grogs pour nous réchauffer, après quoi nous avons fait une partie de *gin rummy.*

— Pardon ?

— C'est un jeu de cartes.

— Quelle heure était-il ?

— Environ deux heures du matin. Nous ne nous couchons jamais de bonne heure.

— Vous n'avez rien vu ni entendu d'anormal ?

— Le mistral ne permettait pas de rien entendre.

— Vous comptez venir ce soir à l'*Arche* ?

— C'est probable.

— Je vous remercie.

Maigret et M. Pyke restèrent un moment seuls, et le commissaire regarda son collègue avec de gros yeux endormis. Il avait l'impression que tout cela était futile, que c'était autrement qu'il aurait fallu s'y prendre. Par exemple, il aurait aimé être sur la place, en plein soleil, à fumer sa pipe en regardant les joueurs de boules qui avaient commencé une grande partie ; il aurait aimé rôder dans le port, regarder les pêcheurs qui réparaient leurs filets ; il aurait aimé connaître tous les Galli et les Morin dont Lechat lui avait touché deux mots.

— Je crois, monsieur Pyke, que, chez vous, les enquêtes se font d'une façon très ordonnée, n'est-ce pas ?

— Cela dépend. Par exemple, à la suite d'un crime qui a été commis voilà deux ans près de Brighton, un de mes collègues est resté onze semaines dans une auberge, passant ses journées à pêcher à la ligne et ses soirées à boire de l'ale avec les gens du pays.

C'était exactement ce que Maigret aurait voulu faire, ce qu'il n'avait pas fait à cause de ce même M. Pyke ! Quand Lechat entra, il était de mauvaise humeur.

— Le major n'a pas voulu venir, annonça-t-il. Il est dans son jardin, à ne rien faire. Je lui ai dit que vous lui demandiez de passer ici. Il m'a répondu que, si vous vouliez le voir, vous n'aviez qu'à aller boire une bouteille chez lui.

— C'est son droit.

— Qui voulez-vous interroger, maintenant ?

— Personne. J'aimerais que vous téléphoniez à Hyères. Je suppose qu'il y a le téléphone, à l'*Arche* ? Vous demanderez Ginette, à l'*Hôtel des Palmes*. Dites-lui de ma part que je serais heureux qu'elle vienne bavarder avec moi.

— Où vous retrouverai-je ?

— Je ne sais pas. Sans doute au port.

Ils traversèrent lentement la place, M. Pyke et lui, et les gens les suivaient des yeux. On aurait pu croire que c'était avec méfiance, mais c'était seulement parce qu'ils ne savaient comment s'y prendre pour aborder le fameux Maigret. Celui-ci, de son côté, se sentait un « estranger », comme on dit dans le pays. Mais il comprenait qu'il ne faudrait pas grand-chose pour que chacun se mette à parler avec abandon, peut-être avec trop d'abandon.

— Vous ne trouvez pas qu'on a l'impression d'être très loin, monsieur Pyke ? Tenez ! On aperçoit la France, là-bas, à vingt minutes de bateau, et je suis aussi désorienté que si je me trouvais au cœur de l'Afrique ou de l'Amérique du Sud.

Des enfants s'arrêtaient de jouer pour les examiner. Ils atteignaient le *Grand Hôtel,* découvraient le port, et l'inspecteur Lechat les rejoignait déjà.

— Je n'ai pas pu l'avoir au bout du fil, annonça-t-il. Elle est partie.

— Elle est rentrée à Nice ?

— Probablement que non, car elle a annoncé au patron de l'hôtel, qu'elle reviendrait demain matin, à temps pour l'enterrement.

La jetée, les petits bateaux de toutes les couleurs, le grand yacht qui encombrait le port, le

North Star, là-bas, près d'une pointe de rochers, et des gens qui regardaient un autre bateau qui arrivait :

— C'est le *Cormoran,* explique Lechat. Autrement dit, il va être cinq heures.

Un gamin, dont la casquette portait en lettres dorées les mots *Grand Hôtel,* attendait les clients éventuels à côté d'une brouette destinée aux bagages. Le petit bateau blanc s'approchait, la mer lui faisant des moustaches argentées, et Maigret ne tarda pas à apercevoir, à l'avant, une silhouette féminine.

— Probablement Ginette, qui vient à votre rencontre, dit l'inspecteur. Tout le monde, à Hyères, doit savoir que vous êtes ici.

C'était une curieuse impression de voir les personnages, sur le bateau, grandir peu à peu, se préciser comme sur une plaque sensible. C'était surtout troublant de voir, avec les traits de Ginette, une femme très grosse, très digne, toute en soie, toute en fards et, sans doute, en parfums.

Au fait, quand Maigret l'avait connue, à la *Brasserie des Ternes,* n'était-il pas plus svelte, lui aussi, et n'éprouvait-elle pas à présent la même déception que lui, en le regardant du pont du *Cormoran* ?

On dut l'aider à descendre. En dehors d'elle, il n'y avait à bord outre Baptiste, le capitaine, que le matelot muet et le facteur. Le gamin à casquette galonnée voulut s'emparer de ses bagages.

— A l'*Arche de Noé* ! dit-elle.

Elle se dirigea vers Maigret, hésita, peut-être à cause de M. Pyke, qu'elle ne connaissait pas.

— On m'a annoncé que vous étiez ici. J'ai

65

pensé que vous aimeriez me parler. Pauvre Marcel !...

Elle ne disait pas Marcellin, comme les autres. Elle ne jouait pas les grands chagrins. C'était devenu une personne mûre, douillette et calme, avec un rien de sourire un peu désabusé.

— Vous êtes descendu à l'*Arche* aussi ?

Ce fut Lechat qui prit sa valise. Elle paraissait connaître l'île et marchait avec calme, sans hâte, en personne qui s'essouffle facilement, ou qui n'est pas faite pour le grand air.

— *Le Petit Var* prétend que c'est parce qu'il a parlé de vous qu'il a été tué. Vous le croyez ?

De temps en temps, elle jetait un coup d'œil curieux, et inquiet tout ensemble à M. Pyke.

— Vous pouvez parler devant lui. C'est un ami, un collègue anglais qui est venu passer quelques jours avec moi.

Elle adressa à l'homme de Scotland Yard un petit salut très femme du monde et soupira avec un coup d'œil à la taille épaisse du commissaire.

— J'ai changé, n'est-ce pas ?

4

Les fiançailles de Ginette.

C'ETAIT CURIEUX DE
la voir prise d'un mouvement de pudeur et tenir
sa robe serrée contre elle parce que l'escalier était
raide et que Maigret montait derrière elle.

Elle était entrée à l'*Arche* comme chez elle,
avait dit le plus naturellement du monde :

— Il te reste une chambre pour moi, Paul ?

— Il faudra te contenter de la petite chambre à
côté de la salle de bains.

Puis elle s'était tournée vers Maigret.

— Vous ne voulez pas monter un moment,
monsieur le commissaire ?

Ces mots auraient eu un sens équivoque dans la
maison qu'elle dirigeait à Nice, mais pas ici. Elle
se méprit pourtant sur l'hésitation de Maigret, qui
continuait à mettre sa coquetterie à ne rien cacher
de l'enquête à M. Pyke. Un instant, elle eut son
sourire presque professionnel.

— Je ne suis pas dangereuse, vous savez.

Chose étonnante, l'inspecteur de Scotland Yard parla anglais, peut-être par délicatesse. Il ne dit qu'un mot à son collègue français.

— *Please*...

Dans l'escalier, Jojo marchait devant avec la valise. Elle était très court vêtue et on apercevait la culotte rose qui enveloppait son petit derrière. C'est sans doute ce qui avait donné à Ginette l'idée de serrer sa robe contre elle.

En dehors du lit, il n'y avait pour s'asseoir qu'une chaise à fond de paille, car c'était la plus petite des chambres, mal éclairée par une lucarne. Ginette retira son chapeau, se laissa tomber au bord du lit avec un soupir de soulagement et tout de suite retira ses chaussures à talons très hauts, caressa, à travers la soie des bas, ses orteils endoloris.

— Cela vous ennuie que je vous aie demandé de monter ? Il n'y a pas moyen de parler en bas et je n'avais pas le courage de marcher. Regardez mes chevilles : elles sont enflées. Vous pouvez fumer votre pipe, monsieur le commissaire.

Elle n'était pas complètement à son aise. On devinait qu'elle parlait pour parler, pour gagner du temps.

— Vous m'en voulez beaucoup ?

Bien qu'il eût compris, il gagna du temps, lui aussi, en ripostant :

— De quoi ?

— Je sais fort bien que vous avez été déçu. Pourtant ce n'est pas tellement ma faute. Grâce à vous, j'ai passé au *sana* les années les plus heureuses de ma vie. Je n'avais à me soucier de rien. Il y avait un médecin qui vous ressemblait un peu et qui était fort gentil pour moi. Il m'apportait des

68

livres. Je lisais toute la journée. Avant d'aller là-bas, j'étais ignorante. Alors, quand il y avait quelque chose que je ne comprenais pas, il me l'expliquait. Vous n'avez pas une cigarette ? Cela ne fait rien. D'ailleurs, il vaut mieux que je ne fume pas...

» Je suis restée cinq ans au sana et j'avais fini par croire que j'y passerais ma vie. Cela me faisait plaisir. Contrairement aux autres, je n'avais pas envie d'en sortir.

» Quand on m'a annoncé que j'étais guérie et que je pouvais m'en aller, je vous jure que j'ai été plus effrayée que contente. D'où nous étions, on pouvait voir la vallée presque toujours couverte d'une légère brume, parfois d'épais nuages, et j'avais peur de redescendre. J'aurais aimé rester comme infirmière, mais je n'avais pas les connaissances nécessaires, et je n'étais pas assez forte pour faire le ménage ou pour être fille de cuisine.

» Qu'est-ce que j'aurais pu faire, en bas ? J'avais pris l'habitude de trois repas par jour. Je savais que, chez Justine, je trouverais ça.

— Pourquoi êtes-vous venue aujourd'hui ? questionna Maigret d'une voix assez froide.

— Je ne vous l'ai pas dit tout à l'heure ? Je suis d'abord allée à Hyères. Je ne voulais pas que ce pauvre Marcel fût enterré sans personne derrière le corbillard.

— Vous l'aimiez toujours ?

Elle marqua une petite gêne.

— Je crois que je l'ai vraiment aimé, n'est-ce pas ? Je vous en ai beaucoup parlé, jadis, quand vous vous êtes intéressé à moi, après son arrestation. Ce n'était pas un mauvais homme, vous savez ? Au fond, c'était plutôt un naïf, je dirais même un timide. Et, justement parce qu'il était timide, il voulait faire comme les autres. Seulement il exagérait. Là-haut, j'ai compris tout cela.

— Et vous avez cessé de l'aimer?

— Je ne l'ai plus aimé de la même façon. Je voyais d'autres gens. Je pouvais comparer. Le docteur m'aidait à comprendre.

— Vous étiez amoureuse du docteur?

Elle rit un peu nerveusement.

— Je crois que, dans un sana, on est toujours plus ou moins amoureuse de son docteur.

— Marcel vous écrivait?

— De temps en temps.

— Il espérait reprendre la vie avec vous?

— Les premiers temps, oui, je crois. Puis il a changé lui aussi. On n'a pas changé dans le même sens, tous les deux. Il a vieilli très vite, presque d'un seul coup. Je ne sais pas si vous l'avez revu. Avant, il était coquet, soigné de sa personne. Il était fier. Cela a commencé quand il est venu sur la Côte, par hasard.

— C'est lui qui vous a fait entrer au service de Justine et d'Emile?

— Non. Je connaissais Justine de nom. C'est moi qui me suis présentée. Elle m'a prise à l'essai, comme sous-maîtresse, car je n'étais plus bonne à autre chose. On m'a opérée quatre fois, là-haut, et j'ai le corps couvert de coutures.

— Je vous ai demandé pourquoi vous étiez venue aujourd'hui.

Il ramenait inlassablement cette question.

— Quand j'ai su que vous vous occupiez de l'affaire j'ai bien pensé que vous vous souviendriez de moi et que vous me feriez rechercher. Cela aurait sans doute pris du temps.

70

— Si je comprends bien, depuis que vous êtes sortie du sanatorium, vous n'aviez plus de relation avec Marcel, mais vous lui envoyiez des mandats ?

— Parfois. Je voulais qu'il ait un peu de bon temps. Il ne le laissait pas voir, mais il passait par des moments difficiles.

— Il vous l'a dit ?

— Il m'a dit qu'il était un raté, qu'il avait toujours été un raté, qu'il n'avait même pas été capable de devenir une vraie crapule.

— C'est à Nice qu'il vous a dit ça ?

— Il n'est jamais venu me voir aux *Sirènes*. Il savait que c'est interdit.

— Ici ?

— Oui.

— Vous venez souvent à Porquerolles ?

— A peu près chaque mois. Justine est trop vieille, à présent, pour inspecter elle-même ses maisons, M. Emile n'a jamais aimé voyager.

— Vous couchez ici, à l'*Arche* ?

— Toujours.

— Pourquoi Justine ne vous donne-t-elle pas une chambre chez elle ? La villa est assez spacieuse.

— Elle ne fait jamais coucher de femme sous son toit.

Il sentait qu'il en arrivait au point sensible, mais Ginette ne cédait pas encore complètement.

— Elle a peur pour son fils ? plaisanta-t-il en allumant une nouvelle pipe.

— Cela peut sembler drôle, et c'est pourtant la vérité. Elle l'a toujours obligé à vivre dans ses jupes et c'est pourquoi il lui est venu un caractère de fille plutôt que de garçon. A son âge, elle

71

le traite encore comme un enfant. Il ne peut rien faire sans sa permission.

— Il aime les femmes ?

— Il en a plutôt peur. Je veux dire en général. Il n'est pas porté sur la chose, vous savez ? Il n'a jamais eu de santé. Il passe son temps à se soigner, à prendre des drogues, à lire des ouvrages de médecine.

— Qu'est-ce qu'il y a d'autre, Ginette ?

— Que voulez-vous dire ?

— Pourquoi êtes-vous venue aujourd'hui ?

— Mais je vous ai répondu.

— Non.

— Je pensais bien que vous vous occuperiez de M. Emile et de sa mère.

— Précisez.

— Vous n'êtes pas comme les autres policiers, mais quand même ! Quand il se passe du vilain, ce sont toujours les gens d'un certain milieu qu'on soupçonne.

— Et vous teniez à me dire que M. Emile n'est pour rien dans la mort de Marcel ?

— Je voulais vous expliquer...

— M'expliquer quoi ?

— Nous sommes restés bons camarades, Marcel et moi, mais il n'était plus question de vivre ensemble. Il n'en avait plus l'idée. Je crois qu'il n'en avait pas envie. Est-ce que vous comprenez ? Il aimait le genre d'existence qu'il s'était fait. Il n'avait plus aucun rapport avec le Milieu. Tenez ! J'ai aperçu Charlot, tout à l'heure...

— Vous le connaissez ?

— Je l'ai rencontré plusieurs fois ici. Il nous est arrivé de manger à la même table. Il m'a procuré des femmes.

— Vous vous attendiez à ce qu'il soit à Porquerolles aujourd'hui ?

— Non. Je vous jure que je dis la vérité. C'est
votre façon de poser les questions qui me gêne.
Avant, vous aviez confiance en moi. Vous aviez un
peu pitié. Il est vrai que je n'ai plus rien pour
faire pitié, n'est-ce pas ? Je ne suis même plus tu-
berculeuse !

— Vous gagnez beaucoup d'argent ?

— Pas autant qu'on pourrait le penser. Justine
est très pingre. Son fils aussi. Je ne manque de
rien, évidemment. Je mets même un peu de côté,
mais pas assez pour vivre en rentière.

— Vous me parliez de Marcel.

— Je ne sais plus ce que je disais. Ah ! oui.
Comment vous expliquer ? Quand vous l'avez
connu, il essayait de jouer les durs. A Paris, il fréquentait les bars où on rencontre des gens comme
Charlot et même des tueurs. Il voulait avoir l'air
de faire partie de leurs bandes et c'était eux qui
ne le prenaient pas au sérieux...

— C'était un demi-sel, quoi !

— Eh bien ! cela lui a passé. Il ne voyait plus
ces gens-là, vivait sur son bateau ou dans sa cabane. Il buvait beaucoup. Il trouvait toujours le
moyen de se procurer à boire. Mes mandats l'ai-
daient. Je sais ce qu'on pense quand un homme
comme lui est tué...

— C'est-à-dire ?

— Vous le savez aussi. On s'imagine que c'est
une histoire du Milieu, un règlement de comptes,
ou une vengeance. Or, ce n'est pas le cas.

— C'est surtout ça que vous teniez à me dire,
n'est-ce pas ?

— Depuis quelques minutes, j'ai perdu le fil

de mes idées. Vous avez tellement changé ! Je vous demande pardon. Ce n'est pas du physique que je parle...

Il sourit malgré lui de son embarras.

— Autrefois, même dans votre bureau du quai des Orfèvres, vous ne faisiez pas penser à un policier.

— Vous avez très peur que je soupçonne les gens du Milieu ? Vous n'êtes pas amoureuse de Charlot, par hasard ?

— Sûrement non. Je serais bien en peine d'être amoureuse de qui que ce soit après toutes les opérations que j'ai subies. Je ne suis plus une femme, si vous tenez à le savoir. Et Charlot ne m'intéresse pas plus que les autres.

— Dites-moi le reste, maintenant.

— Pourquoi croyez-vous qu'il y a autre chose ? Je vous donne ma parole d'honneur que je ne sais pas qui a pu tuer le pauvre Marcel.

— Mais vous savez qui ne l'a pas tué.

— Oui.

— Vous savez qui je pourrais être amené à soupçonner.

— Après tout, vous l'apprendrez quand même un de ces jours, si vous ne l'avez pas déjà appris. Je vous l'aurais dit depuis le début si vous ne m'aviez pas questionnée si sèchement. Je dois épouser M. Emile, voilà !

— Quand ?

— Quand Justine mourra.

— Pourquoi faut-il attendre qu'elle ne soit plus là ?

— Je le répète : elle est jalouse de toutes les femmes. C'est à cause d'elle qu'il ne s'est pas marié et qu'on ne lui a jamais connu de maîtresses. Quand, au bout d'une lune, il avait besoin d'une femme, c'était elle qui lui choisissait la moins dangereuse, et elle n'en finissait pas de lui faire des recommandations. Maintenant cela lui a passé.

— A qui ?

— A lui, pardi !

— Pourtant il envisage de se marier ?

— Parce qu'il a une peur bleue de rester seul. Tant que sa mère vit, il est tranquille. C'est elle qui le soigne comme un poupon. Mais elle n'en a plus pour longtemps. Un an au plus.

— Le docteur l'a dit ?

— Elle a un cancer et elle est trop vieille pour supporter une opération. Quant à lui, il se figure toujours qu'il va mourir. Il a des étouffements plusieurs fois par jour, n'ose pas remuer, comme si le moindre mouvement pouvait lui être fatal...

— De sorte qu'il vous a proposé de l'épouser ?

— Oui. Il s'est assuré que j'étais assez bien portante pour le soigner. Il m'a même fait examiner par plusieurs médecins. Inutile de vous dire que Justine n'en sait rien, car il y a longtemps qu'elle m'aurait mise à la porte.

— Et Marcel ?

— Je le lui ai dit.

— Quelle a été sa réaction ?

— Aucune. Il a trouvé que j'avais raison d'assurer mes vieux jours. Je crois que cela lui a fait plaisir de savoir que je viendrais vivre ici.

— M. Emile n'était pas jaloux de Marcel ?

— Pourquoi aurait-il été jaloux ? Je vous ai déjà dit qu'il n'y avait plus rien entre nous.

— En somme, c'est de cela que vous teniez tant à me parler ?

— J'ai pensé à toutes les suppositions que vous feriez et qui ne correspondent pas à la réalité.

— Par exemple, que Marcel aurait pu faire chanter M. Emile et que celui-ci, pour s'en débarrasser...

— Marcel ne faisait chanter personne, et M. Emile se laisserait plutôt mourir de faim que d'égorger un poulet.

— Bien entendu, vous n'êtes pas venue dans l'île ces derniers jours ?

— C'est facile de s'en assurer.

— Parce que, n'est-ce pas, vous n'avez pas quitté la maison de Nice ? C'est un excellent alibi.

— J'en ai besoin ?

— Selon votre mot de tout à l'heure, je parle en policier. Marcel, malgré tout, aurait pu vous gêner. Surtout que M. Emile est un gros morceau, un très gros morceau. En supposant qu'il vous épouse, il vous laisserait, à sa mort, une sérieuse fortune.

— Assez sérieuse, oui ! Je me demande maintenant si j'ai bien fait de venir. Je ne prévoyais pas que vous me parleriez ainsi. Je vous ai tout avoué, franchement.

Elle avait les yeux luisants, comme si elle était sur le point de pleurer, et c'était un vieux visage mal replâtré, tout brouillé par une moue enfantine, que Maigret contemplait.

— Vous ferez ce que vous voudrez. Je ne sais pas qui a tué Marcel. C'est une catastrophe.

— Surtout pour lui.

— Pour lui aussi, oui. Mais, lui, il est tranquille. Vous m'arrêtez ?

Elle avait dit ça avec une ombre de sourire, encore qu'on la devinât anxieuse, plus sérieuse qu'elle voulait le paraître.

— Pour le moment, je n'en ai pas l'intention.

— Je pourrai me rendre à l'enterrement, demain matin ? Si vous le désirez, je reviendrai tout de suite après. Il n'y aura qu'à m'envoyer un bateau à la pointe de Giens.

— Peut-être.

— Vous ne direz rien à Justine ?

— Pas avant que ce soit strictement nécessaire, et je n'envisage pas cette nécessité.

— Vous m'en voulez ?

— Mais non.

— Si. Je l'ai senti tout de suite, avant de descendre du *Cormoran*, dès que je vous ai aperçu. Je vous ai reconnu, moi. J'étais émue, parce que c'est toute une partie de ma vie qui me revenait.

— Une partie que vous regrettez ?

— Peut-être. Je ne sais pas. Il m'arrive de me le demander.

Elle se leva en soupirant, sans remettre ses souliers. Elle avait envie de délacer son corset et elle attendait pour cela le départ du commissaire.

— Vous ferez ce que vous voudrez, soupira-t-elle enfin comme il tendait la main vers le bouton de la porte.

Et il eut comme un pincement au cœur en la laissant toute seule, vieillie, anxieuse, dans la petite chambre où le soleil couchant pénétrait par la lucarne, mettant partout, sur le papier, peint des murs et sur la courtepointe, du rose qui ressemblait au rose des fards.

77

— Un coup de blanc, monsieur Maigret !

Du bruit, tout à coup, du mouvement. Les joueurs de boules, qui avaient terminé leur partie sur la place, entouraient le bar et parlaient à voix très haute, avec un fort accent. Dans un coin de la salle à manger, près de la fenêtre, M. Pyke était attablé en face de Jef de Greef, et les deux hommes étaient fort absorbés par une partie d'échecs.

A côté, sur la banquette, Anna était assise et fumait une cigarette au bout d'un long fume-cigarette. Elle s'était habillée. Elle portait une petite robe de coton sous laquelle on la sentait aussi nue que sous le paréo. Elle avait une chair lourde, extrêmement féminine, tellement faite pour les caresses qu'on l'imaginait malgré soi dans un lit.

De Greef avait passé un pantalon de flanelle grise, un jersey de marin à raies bleues et blanches. Aux pieds, il avait des espadrilles à semelles de corde, comme presque tout le monde sur l'île, et c'était la première chose que le très strict M. Pyke avait achetée.

Maigret chercha l'inspecteur des yeux, mais ne le vit pas. Force lui était d'accepter le verre de vin que Paul poussait vers lui, et les gens, au bar, se serrèrent pour lui faire de la place.

— Alors, commissaire ?

On l'interpellait et il savait que, dans quelques minutes, la glace serait fondue. Sans doute, depuis le matin, les gens de l'île n'attendaient-ils que ce moment-ci pour faire connaissance ? Ils étaient assez nombreux, une dizaine au moins, la plupart en tenue de pêcheur. Deux ou trois autres avaient un aspect plus bourgeois, probablement de petits rentiers.

Tant pis pour ce que penserait M. Pyke. Il fallait boire.

— Vous aimez notre vin de l'île ?

— Beaucoup.

— Pourtant les journaux prétendent que vous ne buvez que de la bière. Marcellin, lui, disait que ce n'était pas vrai, que vous ne boudiez pas devant un flacon de calvados. Pauvre Marcellin ! A votre santé, commissaire...

Paul, le patron, qui savait comment ces choses-là se passent, gardait la bouteille à la main.

— C'est exact, qu'il était votre ami ?

— Je l'ai connu autrefois, oui. Ce n'était pas un mauvais garçon.

— Sûrement pas. C'est vrai aussi ce que disent les journaux, qu'il était du Havre ?

— Mais oui.

— Avec son accent ?

— Quand je l'ai connu, il y a une quinzaine d'années, il n'avait pas d'accent.

— Tu entends, Titin ? Qu'est-ce que j'ai toujours dit ?

Quatre tournées... cinq tournées... et des mots qu'on lançait un peu au hasard, pour le plaisir, comme des enfants lancent des balles en l'air.

— Qu'est-ce que vous avez envie de manger ce soir, commissaire ? Il y a de la bouillabaisse, bien sûr. Mais peut-être que vous n'aimez pas la bouillabaisse ?

Il jura qu'il n'aimait que ça, et tout le monde en fut enchanté. Ce n'était pas le moment de connaître personnellement ceux qui l'entouraient et qui formaient autour de lui une masse un peu confuse.

— Vous aimez le pastis aussi, le vrai, celui qui est interdit ? Une tournée de pastis, Paul ! Mais si ! Le commissaire ne dira rien...

Charlot était assis à la terrasse, devant un *pastis* justement, occupé à lire un journal.

— Vous avez déjà une idée ?

— Une idée de quoi ?

— De l'assassin, donc ! Morin-Barbu, qui est né dans l'île et qui ne l'a pas quittée depuis soixante-dix-sept ans, n'a jamais entendu parler de rien de pareil. Il y a eu des gens qui se sont noyés. Une femme du Nord, voilà cinq ou six ans, a essayé de se détruire en avalant des pilules pour dormir. Un matelot italien, au cours d'une dispute, a donné un coup de couteau dans le bras de Baptiste. Mais un crime, jamais, commissaire ! Même les méchants, ici, deviennent doux comme des agneaux.

Tout cela riait, essayait de parler, car ce qui comptait c'était de parler, de dire n'importe quoi, de trinquer avec le fameux commissaire.

— Vous comprendrez mieux quand vous serez ici de quelques jours. Ce qu'il faudrait, c'est que vous veniez passer vos vacances avec votre dame. On vous apprendrait à jouer aux boules. Pas vrai, Casimir ? Casimir a gagné l'an dernier le concours du *Petit Provençal*, et vous devez savoir ce que ça veut dire.

De rose qu'elle était tout à l'heure, l'église, au bout de la place, devenait violette ; le ciel, doucement, tournait au vert pâle, et les hommes s'en allaient les uns après les autres ; on entendait parfois la voix aiguë d'une femme qui appelait dans le lointain :

— Hé ! Jules... La soupe est servie...

Ou bien un petit garçon venait bravement chercher son père et le tirait par la main.

— Alors on ne fait pas la partie ?

— Il est trop tard.

On expliquait à Maigret qu'après la partie de boules c'était la partie de cartes, mais que celle-ci n'avait pas eu lieu à cause de lui. Le matelot du *Cormoran*, un colosse muet, aux immenses pieds nus, souriait au commissaire de toutes ses dents et, de temps en temps, tendant son verre, émettait un gloussement étrange qui tenait lieu de : « *A votre santé ?* »

— Vous voulez dîner tout de suite ?

— Vous n'avez pas vu l'inspecteur ?

— Il est sorti pendant que vous étiez là-haut. Il n'a rien dit. C'est son habitude. Il est fameux, vous savez ? Depuis trois jours qu'il est à fureter dans l'île, il en sait presque autant que moi sur toutes les familles.

En se penchant, Maigret vit que les de Greef étaient partis et que l'Anglais restait seul devant les échecs.

— Nous mangerons dans une demi-heure, annonça-t-il.

Paul lui demanda à voix basse, en désignant l'inspecteur de Scotland Yard

— Vous croyez qu'il aime notre cuisine ?

Quelques minutes plus tard, Maigret et son collègue marchaient et, tout naturellement, marchaient vers le port. Ils avaient pris le pli. Le soleil avait disparu, et on sentait dans l'air comme une immense détente. Les bruits n'étaient plus les mêmes. On entendait maintenant le léger clapotis de l'eau contre les pierres de la jetée, et ces pierres étaient devenues d'un gris plus dur, comme les rochers. La verdure était sombre, presque noire, mystérieuse, et un torpilleur au gros numéro peint en blanc sur la coque glissait silencieusement vers la haute mer, à une vitesse qui paraissait vertigineuse.

— Je l'ai battu de justesse, avait dit d'abord M. Pyke. Il est très fort, très maître de lui.

— C'est lui qui vous a proposé de jouer ?

— J'avais pris les échecs, pour m'exercer (il n'ajoutait pas : pendant que vous étiez là-haut avec Ginette), n'espérant pas trouver un partenaire. Il s'est assis à la table voisine avec sa compagne et j'ai bien compris, à sa façon de regarder les pièces, qu'il avait envie de se mesurer avec moi.

Après cela, il y avait eu un long silence et, à présent, les deux hommes s'avançaient le long de la jetée. Près du yacht blanc, il y avait un petit bateau dont on voyait le nom à l'arrière : *Fleur d'amour*.

C'était le bateau de Greef, et le couple était à bord. Il y avait, en effet, de la lumière sous le roof, dans une cabine juste assez large pour deux personnes, où on ne pouvait pas tenir debout. Il en venait des bruits de cuillers et de vaisselle. On mangeait.

Quand les policiers eurent dépassé le yacht, M. Pyke parla à nouveau, lentement, avec sa précision habituelle.

— C'est le type même du garçon que l'on déteste avoir dans les bonnes familles. Il est vrai que vous ne devez pas en posséder beaucoup de spécimens en France.

Maigret fut tout surpris, car c'était la première fois, depuis qu'il le connaissait, que son collègue énonçait des idées générales. M. Pyke lui-même en paraissait un peu gêné, comme saisi de pudeur.

— Pourquoi pensez-vous que nous n'en avons guère en France ?

— Je veux dire pas de ce genre-là exactement.

Il se mit à chercher ses mots avec beaucoup de soin, arrêté au bout de la jetée, face aux montagnes que l'on apercevait sur le continent.

— Je crois que, chez vous, un garçon de bonne famille peut faire des bêtises, comme vous dites, pour mener la grande vie, pour se payer des femmes, des automobiles, ou pour jouer dans les casinos. Est-ce que vos mauvais sujets jouent aux échecs ? J'en doute. Est-ce qu'ils lisent Kant, Schopenhauer, Nietzsche et Krikegaard ? C'est improbable, n'est-ce pas ? Ils ont seulement envie de vivre leur vie sans attendre l'héritage de leurs parents.

Ils s'adossèrent au mur qui bordait la jetée d'un côté, et la surface calme de l'eau était parfois troublée par un poisson qui sautait.

— De Greef n'appartient pas à cette catégorie de mauvais sujets. Je ne crois même pas qu'il ait envie de posséder de l'argent. C'est un anarchiste presque pur. Il est révolté contre tout ce qu'il a connu, contre tout ce qu'on lui a enseigné, contre son magistrat de père et contre sa bourgeoise de mère, contre sa ville, contre les mœurs de son pays.

Il s'interrompit, quasi rougissant.

— Je vous demande pardon...

— Continuez, je vous en prie.

— Nous n'avons échangé que quelques phrases, lui et moi, mais je crois que j'ai compris, parce qu'il y a beaucoup de jeunes gens comme lui dans mon pays, dans tous les pays, probablement, où la morale est rigide. C'est pourquoi j'ai dit tout à l'heure qu'on ne doit pas en rencontrer énormément de cette espèce-là en France. Ici, il n'y a pas d'hypocrisie. Il n'y en a peut-être pas assez.

Faisait-il allusion au milieu dans lequel ils pataugeaient tous les deux depuis leur arrivée, aux M. Emile, aux Charlot, aux Ginette, qui vivaient parmi les autres sans être visiblement marqués par l'opprobre ?

Maigret était un peu anxieux, un peu crispé. Sans être attaqué, il était chatouillé par l'envie de se défendre.

— Par protestation, poursuivait M. Pyke, ces jeunes gens-là rejettent tout en bloc, le bon et le mauvais. Tenez ! il a enlevé une petite fille à sa famille. Elle est gentille, très désirable. Je ne crois pas, cependant, que ce soit par désir d'elle qu'il ait fait cela. C'est parce qu'elle appartenait à une bonne famille, parce que c'était une jeune fille qui allait à la messe le dimanche en compagnie de sa maman. C'est parce que son père est probablement un monsieur austère et bien pensant. C'est aussi parce qu'il risquait gros en l'enlevant. Je me trompe peut-être, n'est-ce pas ?

— Je ne crois pas.

— Il y a des gens qui, dans un décor propre et élégant, éprouvent le besoin de salir. De Greef éprouve le besoin de salir la vie, de salir n'importe quoi. Et même de salir sa compagne.

Cette fois, Maigret fut stupéfait. Il était *assis*, comme on dit, car il comprenait que M. Pyke avait pensé la même chose que lui. Quand de Greef avait admis être allé plusieurs fois à bord du *North Star*, il lui était venu immédiatement à l'idée que ce n'était pas seulement pour boire, mais que des relations plus intimes et moins avouables existaient entre les deux couples.

— Ce sont des garçons très dangereux, conclut M. Pyke.

Il ajouta :

— Peut-être qu'ils sont aussi très malheureux ?

Puis, comme il trouvait sans doute le silence un peu trop solennel, il dit sur un ton plus léger :

— Il parle parfaitement l'anglais, vous savez ? Il n'a même pas d'accent. Je ne serais pas étonné qu'il soit passé par un de nos grands collèges.

C'était le moment d'aller dîner. La demi-heure était largement dépassée. L'obscurité était presque complète, et les bateaux, dans le port, se balançaient au rythme de la respiration de la mer. Maigret vida sa pipe en la frappant sur son talon, hésita à en bourrer une autre. En passant, il regarda le petit bateau du Hollandais avec insistance.

Est-ce que M. Pyke avait simplement parlé pour parler ? Est-ce qu'il avait voulu, à sa façon, lui transmettre une sorte de message ?

C'était difficile, sinon impossible, à savoir. Son français était parfait, trop parfait, et cependant les deux hommes ne parlaient pas la même langue, leurs pensées s'acheminaient différemment à travers les méandres du cerveau.

— Ce sont des garçons très dangereux, avait souligné l'inspecteur de Scotland Yard.

Sans doute, pour rien au monde, n'aurait-il

voulu avoir seulement l'air d'intervenir dans l'enquête de Maigret. Il ne lui avait pas posé de questions au sujet de ce qui s'était passé dans la chambre de Ginette. S'imaginait-il que son collègue lui cachait quelque chose, que Maigret essayait de tricher ? Ou pis, après ce qu'il venait de dire des mœurs des Français, se figurait-il que Maigret et Ginette... ?

Le commissaire grommela :

— Elle m'a annoncé ses fiançailles avec M. Emile. Cela doit rester secret, à cause de la vieille Justine, qui s'efforcerait d'empêcher le mariage, même après sa mort.

Il se rendait compte qu'en comparaison avec les phrases coupantes de M. Pyke son discours restait vague, ses idées plus vagues encore.

En quelques mots, l'Anglais avait dit ce qu'il avait à dire. D'une demi-heure passée avec de Greef, il avait tiré non seulement sur celui-ci, mais sur le monde en général, des idées précises.

Maigret, lui, aurait été en peine d'exprimer une idée. C'était tout différent. Il sentait quelque chose. Il sentait des tas de choses, comme toujours au début d'une enquête, mais il n'aurait pas pu dire comment ce brouillard d'idées finirait, tôt ou tard, par s'éclaircir.

C'était un peu humiliant. Cela manquait de prestige. Il se voyait lourd et mou à côté de la silhouette nette de son collègue.

— C'est une drôle de fille, murmura-t-il pourtant.

Voilà tout ce qu'il trouvait à dire de quelqu'un qu'il avait rencontré jadis, dont il connaissait presque toute la vie et qui lui avait parlé à cœur ouvert.

Une drôle de fille ! Elle l'attirait par certains côtés, et, par d'autres, elle le décevait, comme elle l'avait fort bien senti.

Peut-être, plus tard, aurait-il sur elle une opinion définitive ?

Après une seule partie d'échecs et quelques paroles échangées par-dessus les pièces, M. Pyke lui, avait analysé définitivement le caractère de son partenaire.

N'était-ce pas comme si l'Anglais avait gagné la première manche ?

5

La nuit dans l'Arche.

L'ODEUR, C'ETAIT AU
début qu'il s'en était occupé, alors qu'il croyait
encore qu'il allait s'endormir tout de suite. En
réalité, il y avait plusieurs odeurs. La principale,
celle de la maison, qu'on reniflait sitôt passé le
seuil du café, il avait essayé de l'analyser dès le
matin, car c'était une odeur qui ne lui était pas
familière. Elle le frappait chaque fois qu'il entrait,
et, chaque fois, il plissait les narines. Il y avait un
fond de vin, bien entendu, avec une pointe d'anis,
puis des relents de la cuisine. Et, comme c'était
de la cuisine méridionale, à base d'ail, de piments
rouges, d'huile et de safran, cela le changeait de
ses habitudes.

Mais à quoi bon s'occuper de ça? Les yeux
fermés, il voulait dormir. C'était inutile de se rappeler tous les restaurants marseillais ou proven-
çaux où il lui était arrivé de manger, à Paris ou
ailleurs. L'odeur n'était pas la même, soit. Il

n'avait qu'à dormir. Il avait suffisamment bu pour sombrer dans un sommeil de plomb.

Est-ce que, juste après s'être couché, il n'avait pas dormi ? La fenêtre était ouverte, et un bruit l'avait intrigué ; il avait fini par comprendre que c'était le froissement des feuilles des arbres de la place.

A la rigueur, l'odeur d'en bas pouvait être comparée à celle d'un petit bar, à Cannes, tenu par une grosse femme, où il avait enquêté jadis et où il avait coulé des heures paresseuses.

Celle de la chambre ne ressemblait à rien. Qu'est-ce qu'il y avait dans les matelas ? Etait-ce, comme en Bretagne, du varech, qui exhalait l'odeur iodée de la mer ? D'autres gens avaient passé dans ce lit avant lui et il croyait, par instants, retrouver l'odeur de cette huile dont les femmes s'enduisent le corps pour prendre des bains de soleil.

Il se retourna lourdement. C'était au moins la dixième fois, et il y eut encore quelqu'un pour ouvrir une porte, pour marcher dans le corridor et pour entrer dans les cabinets. Cela n'avait rien d'extraordinaire, mais il lui semblait qu'il y venait beaucoup plus de gens qu'il n'y en avait dans la maison. Alors il se mettait à compter les occupants de l'*Arche*. Paul et sa femme couchaient au-dessus de sa tête, dans une mansarde à laquelle on accédait par une sorte d'échelle. Quant à Jojo, il ne savait pas où elle dormait. En tout cas, il n'y avait pas de chambre pour elle au premier étage.

Elle aussi avait une odeur bien à elle. Cela venait en partie de ses cheveux huilés, en partie de son corps et de ses vêtements, et c'était à la fois sourd et épicé, pas désagréable. Cette odeur l'avait distrait pendant qu'elle lui parlait.

Encore un cas où M. Pyke aurait pu croire que Maigret trichait. Le commissaire était monté un instant dans sa chambre, après le dîner, pour se laver les dents et les mains. Il avait laissé la porte ouverte et, sans qu'il l'entendît, sans un glissement de pas sur le plancher, Jojo était venue s'y encadrer. Quel âge pouvait-elle avoir ? Seize ans ? Vingt ans ? Elle avait ce regard à la fois admiratif et peureux des gamines qui vont quémander des autographes à la sortie des théâtres. Maigret l'impressionnait, parce qu'il était célèbre.

— Vous voulez me dire quelque chose, mon - petit ?

Elle avait refermé la porte derrière elle, ce qu'il n'avait pas aimé, car on ne sait jamais ce que les gens penseront. Il n'oubliait pas qu'il y avait un Anglais dans la maison.

— C'est à propos de Marcellin, fit-elle alors en rougissant. Il m'a parlé, un après-midi qu'il était très saoul et qu'il a fait la sieste sur la banquette du café.

Tiens ! Tout à l'heure aussi, alors que l'*Arche* était vide, il avait vu quelqu'un étendu sur cette banquette, un journal sur la tête, piquant un petit somme. C'était évidemment un endroit frais. Drôle de maison quand même ! Quant à l'odeur...

— J'ai pensé que cela pouvait peut-être vous servir. Il m'a dit que, s'il le voulait, il aurait un gros tas comme ça.

— Un tas de quoi ?

— De billets de banque, sûrement.

— Il y a longtemps ?

— Je pense que c'est deux jours avant ce qui est arrivé.

— Il n'y avait personne d'autre dans le café ?

— J'étais seule, à astiquer le comptoir.

— Vous en avez parlé à quelqu'un ?

— Je ne crois pas.

— Il n'a rien dit d'autre ?

— Seulement : « *Qu'est-ce que j'en ferais, ma petite Jojo ? On est si bien ici.* »

— Il ne vous a jamais fait la cour, jamais adressé de propositions ?

— Non.

— Et les autres ?

— Presque tous.

— Quand Ginette était ici — car elle venait à peu près tous les mois, n'est-ce pas ? — il n'arrivait jamais à Marcellin de monter la voir dans sa chambre ?

— Sûrement pas. Il était très respectueux avec elle.

— On peut vous parler comme à une grande personne, Jojo ?

— J'ai dix-neuf ans, vous savez.

— Bon. Est-ce que Marcellin avait de temps en temps des relations avec des femmes ?

— Bien sûr.

— Dans l'île ?

— Avec Nine, d'abord. C'est ma cousine. Elle fait ça avec tout le monde. Il paraît qu'elle n'y peut rien.

— A bord de son bateau ?

— N'importe où. Puis avec la veuve Lambert, qui tient le café de l'autre côté de la place. Il lui arrivait de passer la nuit chez elle. Quand il pêchait des loups, il les lui portait. Je suppose que,

puisqu'il est mort, je peux le dire : Marcellin pêchait à la dynamite.

— Il n'a jamais été question qu'il épouse la
veuve Lambert ?

— Je ne pense pas qu'elle ait envie de se re-
marier.

Et le sourire de Jojo laissait entendre que la
veuve Lambert n'était pas un personnage banal.

— C'est tout, Jojo ?

— Oui. Il vaut mieux que je redescende.

Ginette ne dormait pas non plus. Elle était cou-
chée dans la chambre voisine, juste derrière la
cloison, de sorte que Maigret avait l'impression
de l'entendre respirer. Cela le gênait, car, en se
retournant, dans son demi-sommeil, il lui arrivait
de heurter cette cloison du coude et cela devait
chaque fois la faire sursauter.

Elle avait été très longtemps avant de se coucher. Qu'est-ce qu'elle avait pu faire ? Des soins
de beauté ou de toilette ? Le silence était parfois
si profond dans sa chambre que Maigret se demandait si elle n'était pas en train d'écrire. Surtout
que la lucarne était trop haute pour qu'elle pût
s'y accouder et prendre le frais.

Au fait, la fameuse odeur... C'était, tout simplement, l'odeur de Porquerolles. Il l'avait respi-
rée, partiellement, au bout de la jetée, tout à
l'heure, avec M. Pyke. Il y avait des effluves qui
émanaient de l'eau surchauffée par le soleil pendant la journée et d'autres qui venaient de la terre,
avec la brise. Est-ce que les arbres de la place
n'étaient pas des eucalyptus ? Il y avait probablement d'autres essences odorantes dans l'île.

Qui est-ce qui venait encore de franchir le couloir ? M. Pyke ? C'était la troisième fois. La cuisine

de Paul, à laquelle il était si peu préparé, avait
dû le déranger.

Il avait beaucoup bu, M. Pyke. Etait-ce par
goût, ou parce qu'il ne pouvait pas faire autrement ? En tout cas, il aimait le champagne, et
Maigret n'avait jamais pensé à lui en offrir. Il en
avait bu toute la soirée avec le major. On aurait
dit, tant les deux hommes s'étaient tout de suite
entendus, qu'ils se connaissaient depuis toujours.
Ils s'étaient installés dans un coin. Jojo, d'autorité,
avait apporté du champagne.

Bellam ne le buvait pas dans des coupes, mais
dans des grands verres, comme de la bière. Il
était tellement parfait qu'il ressemblait à un dessin
de *Punch*, avec ses cheveux d'un blanc argenté,
son teint rose, ses gros yeux clairs qui nageaient
dans du liquide et l'énorme cigare qui ne quittait
pas ses lèvres.

C'était un enfant de soixante-dix ou soixante-
douze ans, une flamme espiègle dans le regard.
Sa voix, probablement à cause du champagne et
des cigares, était enrouée. Même après plusieurs
bouteilles, il conservait une dignité attendrissante.

— Je vous présente le major Bellam, avait dit
M. Pyke à un certain moment. Il se fait que nous
avons étudié au même collège.

Pas la même année, certes, ni la même décade.
On sentait que cela leur faisait plaisir à tous les
deux. Le major appelait le commissaire : « M. Mai-
grette. »

De temps en temps, il adressait à Jojo ou à
Paul un signe à peine perceptible qui suffisait à
amener du champagne frais sur la table. D'autres
fois, un signe différent appelait Jojo, qui remplis-

sait un verre et allait le porter à quelqu'un dans la salle.

Cela aurait pu avoir quelque chose de hautain, ou de condescendant. Le major faisait ça si gentiment, si naïvement, qu'on n'en était pas gêné. Il avait un peu l'air de distribuer des bons points. Quand le verre était arrivé à destination, il levait le sien et portait de loin une santé silencieuse.

Tout le monde, ou presque, y passait. Charlot presque toute la soirée, avait fait fonctionner la grue. D'abord il avait joué à la machine à sous et il pouvait se permettre d'y mettre tout ce qu'il voulait puisque c'était quand même lui qui récoltait la cagnotte. La grue devait lui appartenir aussi. Il glissait une pièce dans la fente, tournait avec une attention soutenue le bouton qui dirigeait la petite pince chromée vers un étui à cigarettes de quelques sous, ou vers une pipe, ou un portefeuille de bazar.

Est-ce par inquiétude que Ginette ne dormait pas ? Est-ce que Maigret s'était montré trop méchant avec elle ? Dans la chambre, oui, il avait été dur. Ce n'était pas par dépit, comme on aurait pu le croire. Avait-elle cru que c'était par dépit ?

C'est toujours ridicule de jouer les Samaritains. Il l'avait ramassée place des Ternes et l'avait envoyée en *sana*. Jamais il ne s'était dit qu'il sauvait une âme, qu'il « arrachait une fille au trottoir ».

Un autre, « qui lui ressemblait », comme elle l'avait dit, s'était occupé d'elle à son tour : le médecin du sanatorium. Est-ce que celui-là avait espéré quelque chose ?

Elle était devenue ce qu'elle était devenue. Cela la regardait. Il n'avait aucune raison de s'en offusquer, d'en ressentir de l'amertume.

94

Il avait été dur parce que c'est une nécessité, parce que ces femmes-là, même les moins mauvaises, mentent comme elles respirent, parfois sans nécessité, sans raison. Et elle ne lui avait pas encore tout dit, il en était certain. C'était si vrai qu'elle ne parvenait pas à s'endormir. Quelque chose la tracassait.

Une fois, elle se leva. Il entendit ses pieds nus sur le sol de la chambre. Est-ce qu'elle n'allait pas venir le trouver ? Cela n'avait rien d'impossible, et Maigret s'était préparé en pensée à passer en toute hâte son pantalon qu'il avait laissé tomber sur la carpette.

Elle n'était pas venue. Il y avait eu un choc de verre. Elle avait soif. Ou bien elle avait pris un comprimé pour dormir.

Il n'avait bu qu'une coupe de champagne. Le reste du temps, il avait surtout bu du vin, puis, Dieu sait pourquoi, de l'anisette.

Qui est-ce qui avait commandé de l'anisette ? Ah ! oui, c'était le dentiste. Un ancien dentiste, plus exactement, dont le nom lui échappait. Encore un phénomène. Il n'y avait que des phénomènes dans l'île, à l'*Arche* en tout cas. Ou peut-être était-ce eux qui avaient raison et les gens, de l'autre côté de l'eau, sur le continent, qui avaient tort de se comporter autrement ?

Cela avait dû être un homme très bien, très soigné, car il avait eu un cabinet dentaire dans un des quartiers les plus chic de Bordeaux, et les Bordelais sont difficiles. Il était venu à Porquerolles par hasard, pour passer des vacances, et, depuis, il n'en était parti qu'une semaine, le temps d'aller liquider ses affaires.

Il ne portait pas de faux col. C'était un des

Morin, un pêcheur, qui lui coupait les cheveux une fois par mois. On appelait ce Morin-là, Morin-Coiffeur. La barbe de l'ex-dentiste avait au moins trois jours et il ne se soignait pas les mains, il ne soignait plus rien, il ne faisait rien, sinon lire, dans un fauteuil à bascule, à l'ombre de sa véranda.

Il avait épousé une fille de l'île qui avait peut-être été jolie, mais qui, très vite, était devenue énorme, avec l'ombre d'une moustache sur la lèvre et une voix criarde.

Il était heureux. Il le prétendait du moins. Il disait avec une assurance troublante :

— Vous verrez ! Si vous restez un certain temps, vous serez mordu, comme les autres. Et, alors, vous ne vous en irez plus.

Maigret savait que, dans certaines îles du Pacifique, il arrive aux Blancs de se laisser ainsi aller, de s'encanaquer, comme on dit là-bas, mais il ignorait que c'était possible à trois milles de la côte française.

Quand on parlait de quelqu'un au dentiste, il ne le jugeait que selon son degré d'encanaquement. Il appelait ça autrement. Il disait : la porquerollite.

Le docteur ? Car il y avait un docteur aussi, que Maigret n'avait pas encore rencontré, mais dont Lechat lui avait parlé. Atteint jusqu'à l'os, au dire du dentiste.

— Je suppose que vous êtes amis ?

— Nous ne nous voyons jamais. On se dit bonjour, de loin.

Le docteur, il est vrai, avait, en arrivant, des dispositions. Il était très malade et ne s'était installé dans l'île que pour se soigner. C'était un célibataire. Il vivait seul dans une bicoque au jardin

plein de fleurs et il faisait son ménage lui-même.
Chez lui, c'était très sale. A cause de sa santé, il
ne sortait pas le soir, même en cas d'urgence, et,
l'hiver, quand d'aventure il faisait vraiment froid,
ce qui était rare, on était des jours et parfois des
semaines sans voir son nez blanc.

— Vous verrez ! vous verrez ! insistait le dentiste avec un sourire sarcastique. D'ailleurs, vous
avez déjà une idée de ce que c'est en regardant
autour de vous. Pensez seulement que c'est tous
les soirs la même chose.

Et c'était un curieux spectacle, en effet. Ce
n'était pas tout à fait l'atmosphère d'un café et ce
n'était pas non plus celle d'un salon. Le débraillé
faisait plutôt penser à une soirée dans un atelier
d'artiste.

Tout le monde se connaissait et on ne se mettait pas en frais les uns pour les autres. Le major,
qui sortait d'un grand collège anglais, était ici sur
le même pied qu'un rat de quai comme Marcellin,
ou qu'un Charlot.

De temps en temps, quelqu'un changeait de
place, de partenaire.

Au début, M. Emile et Ginette s'étaient tenus
tranquilles et silencieux à la même table, près du
comptoir, comme des gens mariés depuis longtemps qui attendent un train dans une gare.
M. Emile avait commandé sa tisane habituelle,
Ginette une liqueur verdâtre dans un verre minuscule.

Parfois, ils échangeaient un mot ou deux, à mi-
voix. On n'entendait rien. On voyait seulement le
mouvement de leurs lèvres. Puis Ginette s'était
levée en soupirant et était allée chercher un jeu de
dames dans un casier, sous le phonographe.

Ils jouaient. On sentait que cela aurait pu être ainsi tous les jours, à longueur d'années, que les gens pouvaient vieillir sans changer de place, sans essayer d'autres gestes que ceux qu'on leur voyait faire.

Sans doute, dans cinq ans, Maigret retrouverait-il le dentiste devant une même anisette, avec un sourire identique, à la fois féroce et satisfait ? Charlot faisait fonctionner la grue avec des gestes d'automate, et il n'y avait pas de raison que cela cessât à un moment donné.

Les deux fiancés poussaient les pions sur le damier qu'ils contemplaient entre chaque coup, avec une gravité irréelle, tandis que le major vidait verre de champagne après verre de champagne en racontant des histoires à M. Pyke.

Personne n'était pressé. Personne ne semblait penser que demain existait. Quand elle n'avait aucun client à servir, Jojo allait s'accouder au comptoir et, le menton sur les mains, regardait pensivement devant elle. Plusieurs fois Maigret sentit ses yeux fixés sur lui, mais, dès qu'il tournait la tête, elle regardait ailleurs.

Paul, le patron, toujours en tenue de cuisinier, allait d'une table à l'autre et à chacun il offrait une tournée. Cela devait lui coûter cher, mais il faut croire qu'en fin de compte il s'y retrouvait.

Quant à sa femme, une petite personne d'un blond fade, aux traits durs, qu'on remarquait à peine, elle était installée toute seule à une table et faisait les comptes de la journée.

— C'est chaque soir ainsi, avait dit Lechat au commissaire.

— Et les gens de l'île, je veux dire les pêcheurs ?

— Ils ne viennent guère après le dîner. Ils partent en mer avant le lever du jour et se couchent de bonne heure. De toute façon, le soir, ils ne viendraient pas à l'*Arche*. C'est une sorte d'accord tacite. L'après-midi, le matin aussi, tout le monde se mélange. Après le dîner, les gens de l'île, les vrais indigènes, vont plutôt dans les autres cafés.

— Qu'est-ce qu'ils font ?

— Rien. Je suis allé les voir. Quelquefois ils écoutent la radio mais c'est assez rare. Ils boivent un petit verre en silence, en regardant devant eux.

— Ici, c'est toujours aussi calme ?

— Cela dépend. Attendez. Cela peut venir d'un moment à l'autre. Il suffit d'un rien, d'une phrase en l'air, d'une tournée offerte par l'un ou par l'autre, et tout le monde se groupe, se met à parler à la fois.

Ce n'était pas arrivé, peut-être à cause de la présence de Maigret.

Il avait chaud, malgré la fenêtre ouverte. C'était devenu une manie d'écouter les bruits de la maison. Ginette ne dormait toujours pas. Il y avait parfois des pas au-dessus de sa tête. Quant à M. Pyke, il dut aller une quatrième fois au fond du couloir, et, chaque fois, Maigret attendait avec une sorte d'angoisse, le vacarme de la chasse d'eau avant d'essayer de se rendormir. Car il devait dormir entre les coups, d'un sommeil pas assez profond pour effacer complètement ses pensées, mais suffisant pour les déformer.

M. Pyke lui avait joué un vilain tour en lui parlant du Hollandais comme il l'avait fait au bout de la jetée. Désormais, le commissaire ne pouvait plus voir de Greef qu'à travers les phrases péremptoires de son confrère britannique.

Pourtant le portrait que Pyke avait tracé du jeune homme ne le satisfaisait pas. Il était là, lui aussi, avec Anna qui devait avoir sommeil et qui, à mesure que le temps passait, se laissait aller davantage contre l'épaule de son compagnon.

De Greef ne lui adressait pas la parole. Il ne devait pas souvent lui adresser la parole. Il était le mâle, le chef, et elle n'avait qu'à suivre, attendre son bon plaisir.

Il regardait. Le visage très maigre, il faisait penser à un animal efflanqué, à un fauve.

Les autres n'étaient sans doute pas des agneaux, mais, incontestablement, de Greef était un fauve. Il reniflait comme un fauve. C'était un tic. Il écoutait tout ce qui se disait et il reniflait. C'était sa seule réaction perceptible.

Dans la jungle, le major aurait sans doute été un pachyderme, un éléphant ou, mieux, un hippopotame. Et M. Emile ? Quelque chose de furtif, aux dents pointues.

C'était ridicule. Qu'est-ce que M. Pyke aurait pensé s'il avait pu lire les pensées de Maigret ? Il est vrai que le commissaire avait l'excuse d'avoir beaucoup bu et d'être à moitié endormi. S'il avait prévu son insomnie, il aurait vidé quelques verres de plus, afin de sombrer tout de suite dans un sommeil sans rêves.

Lechat, au fond, était très bien. Si bien que Maigret aurait aimé l'avoir dans son service. Encore un peu jeune, un peu agité. Il s'excitait facilement, à la façon d'un chien de chasse qui court en tous sens autour de son maître.

Il connaissait déjà le Midi, puisqu'il faisait partie de la brigade de Draguignan, mais il n'avait eu l'occasion de passer à Porquerolles qu'une fois ou deux ; il y était à peine depuis trois jours que l'île lui était familière.

— Les gens du *North Star* ne viennent pas tous les soirs ?

— Presque tous les soirs. Parfois ils viennent tard. Ils ont l'habitude, quand la mer est calme, de se promener en youyou au clair de lune ?

— Mrs Wilcox et le major sont amis ?

— Ils évitent soigneusement de s'adresser la parole et chacun regarde l'autre comme s'il était un corps transparent.

Après tout, c'était explicable. Ils appartenaient tous les deux à un même milieu. Tous les deux, pour une raison ou pour une autre, venaient ici s'encanailler.

Le major devait être gêné de s'enivrer sous les yeux de Mrs Wilcox, car, dans son pays, les gentlemen ont l'habitude de faire ça entre eux, toutes portes closes.

Quant à elle, en face de l'ancien officier de l'armée des Indes, elle ne devait pas être fière de son Moricourt.

Ils étaient venus, vers onze heures du soir. Comme il arrive presque toujours, elle ne ressemblait pas du tout à l'idée que le commissaire s'était faite d'elle.

Il s'était imaginé une lady et c'était une femme rousse — d'un roux artificiel — sur le retour, une femme assez grosse, dont la voix cassée rappelait, en plus sonore, celle du major Bellam. Elle portait une robe de toile, mais elle avait au cou un collier de trois rangs de perles qui étaient peut-être véritables, et un gros diamant au doigt.

Tout de suite, elle avait cherché Maigret des yeux. Philippe avait dû lui parler du commissaire et, une fois assise, elle n'avait cessé de le détailler et de s'entretenir de lui à voix basse avec son compagnon.

Qu'est-ce qu'elle disait ? Est-ce que, de son côté, elle le trouvait épais et vulgaire ? Se l'était-elle figuré comme un jeune premier ? Peut-être jugeait-elle qu'il n'avait pas l'air très intelligent ?

Ces deux-là buvaient du whisky, avec très peu de soda. Philippe était aux petits soins et l'attention du commissaire l'irritait ; il n'aimait évidemment pas être vu dans l'exercice de ses fonctions. Quant à elle, elle le faisait exprès. Au lieu d'appeler Jojo ou Paul, elle envoyait son sigisbée changer son verre qu'elle ne trouvait pas assez propre, le faisait se lever à nouveau pour aller lui chercher des cigarettes au comptoir. Une autre fois, elle l'expédia dehors, Dieu sait pourquoi.

Elle tenait à bien affirmer son pouvoir sur l'héritier des Moricourt et peut-être, par la même occasion, à montrer qu'elle n'avait pas honte.

Le couple, en passant, avait salué le jeune de Greef et sa compagne. Très vaguement. Un peu comme on échange des signes maçonniques.

Le major, contre l'attente de Maigret, était parti le premier, digne et la démarche vague, et M. Pyke l'avait accompagné un bout de chemin.

Puis le dentiste, à son tour, était parti.

— Vous verrez ! Vous verrez ! avait-il répété à Maigret en lui prédisant à brève échéance une attaque de porquerollite.

Charlot, qui en avait assez de la grue, était allé

s'asseoir à califourchon sur une chaise, devant les joueurs de dames, et, silencieusement, avait indiqué un coup ou deux à Ginette. Une fois M. Emile parti, il était monté se coucher. Ginette, elle, semblait attendre l'autorisation de Maigret. Elle avait fini par venir jusqu'à sa table et elle avait murmuré avec un petit sourire :

— Vous m'en voulez toujours ?

Elle était lasse, c'était visible, et il lui avait conseillé de monter se coucher. Il était monté tout de suite après elle, parce que l'idée lui était venue qu'elle allait peut-être rejoindre Charlot.

A un certain moment, alors qu'il essayait de s'endormir — mais peut-être dormait-il déjà et n'était-ce qu'un rêve ? — il avait eu l'impression de découvrir un fait vraiment important.

— Il ne faut pas que je l'oublie. Il est indispensable que je m'en souvienne demain matin.

Il avait failli se relever pour le noter sur un bout de papier. Cela lui était venu comme une lumière. C'était très curieux. Il était content. Il se répétait :

— Surtout, que je ne l'oublie pas demain matin !

Et la chasse d'eau faisait à nouveau retentir l'*Arche* de son vacarme. Après, il y en avait pour dix minutes à entendre l'eau qui coulait lentement dans le réservoir. C'était exaspérant. Le bruit devenait plus fort. Il y avait des explosions. Maigret se dressait sur son séant, ouvrait les yeux et trouvait sa chambre baignée de soleil, avec, juste devant lui, dans l'encadrement de la fenêtre ouverte, le clocher de la petite église.

Les explosions venaient du port. C'étaient les moteurs des bateaux qu'on mettait en marche et qui toussaient. Tous les pêcheurs partaient à la même heure. Un des moteurs s'obstinait à s'arrêter après quelques éclatements, et un silence suivait puis à nouveau cette toux qu'on aurait voulu aider à sortir une bonne fois.

Il eut envie de s'habiller et d'aller dehors, regarda l'heure à sa montre qu'il avait posée sur la table de nuit et constata qu'il n'était que quatre heures et demie du matin. L'odeur était encore plus prononcée que la veille, sans doute à cause de l'humidité de l'aube. Il n'y avait pas un bruit dans la maison, pas un bruit sur la place, où le feuillage des eucalyptus était immobile dans le soleil levant. Seulement les moteurs, dans le port, parfois une voix, puis le bourdonnement des moteurs lui-même s'atténua dans le lointain, ne fut plus, pendant très longtemps, que comme une vibration de l'air.

Quand il ouvrit à nouveau les yeux, une autre odeur lui rappela tous les matins depuis sa première enfance, l'odeur du café frais, et la plupart des cases de la maison étaient bruissantes, on entendait des pas sur la place, des brouettes grinçaient sur les cailloux du chemin.

Il pensa tout de suite qu'il devait se rappeler quelque chose d'essentiel, mais ne retrouva aucun souvenir précis. Il avait la bouche pâteuse, à cause de l'anisette. Il chercha un bouton de sonnerie dans l'espoir de se faire monter du café. Il n'y en avait pas. Alors il passa son pantalon, sa chemise, ses pantoufles, se donna un coup de peigne et ouvrit sa porte. Une forte odeur de parfum et de savon sortait de la chambre de Ginette, qui devait être occupée à sa toilette.

N'était-ce pas à son sujet qu'il avait fait ou

cru faire une découverte ? Il descendit et, dans la salle, trouva les chaises formant des pyramides sur les tables. Les portes étaient ouvertes et les chaises de la terrasse étaient pareillement superposées. Il n'y avait personne.

Il entra dans la cuisine, qui lui parut sombre, dut s'habituer les yeux à la pénombre.

— Bonjour, monsieur le commissaire. Vous avez bien dormi ?

— C'était Jojo, avec sa robe noire trop courte qui lui collait littéralement à la peau. Elle ne s'était pas lavée, elle non plus, et elle paraissait nue en dessous.

— Vous prenez du café ?

Un instant, il pensa à Mme Maigret qui, à cette heure-ci, devait préparer le petit déjeuner dans leur appartement de Paris, avec les fenêtres ouvertes sur le boulevard Richard-Lenoir. L'idée le frappa qu'à Paris il pleuvait. Quand il était parti, il faisait presque aussi froid qu'en hiver. D'ici, cela paraissait incroyable.

— Vous voulez que je vous débarrasse une table ?

A quoi bon ? Il était très bien, dans la cuisine. Elle faisait brûler des ceps de vigne dans le fourneau et cela sentait bon. Quand elle levait les bras, il voyait les petits poils bruns des aisselles.

Il cherchait toujours à se souvenir de sa découverte de la veille, prononçait des mots sans y penser, peut-être parce que cela le gênait d'être seul avec Jojo.

— M. Paul n'est pas descendu ?

— Il est déjà au port depuis un bon moment. Il va chaque matin acheter son poisson aux bateaux qui rentrent.

Elle jeta un coup d'œil à l'horloge.

— Le *Cormoran* partira dans cinq minutes.

— Personne d'autre n'est descendu ?

— M. Charlot.

— Pas avec ses bagages, je suppose ?

— Non. Il est avec M. Paul. Votre ami est sorti aussi, il y a au moins une demi-heure.

Maigret contemplait l'étendue de la place par les portes ouvertes.

— Il doit être dans l'eau. Il était en costume de bain, avec sa serviette-éponge sous le bras.

Cela se rapportait à Ginette. Mais, dans son esprit, il était aussi question de Jojo. Il se souvenait que, dans son demi-sommeil, il avait évoqué Jojo au moment où elle montait l'escalier. Or ce n'était pas une pensée érotique. Il ne s'agissait qu'incidemment des jambes qu'elle dévoilait. Voyons ! Elle était venue ensuite dans sa chambre.

La veille, il avait demandé avec insistance à Ginette :

— Pourquoi êtes-vous venue ?

Et elle avait menti plusieurs fois. D'abord elle avait déclaré que c'était pour le voir, parce qu'elle avait appris qu'il était dans l'île et qu'elle s'était doutée qu'il la ferait rechercher.

Un peu plus tard, elle admettait qu'elle était en quelque sorte fiancée à M. Emile. C'était admettre en même temps qu'elle était venue pour disculper celui-ci, pour affirmer au commissaire que son patron n'était pour rien dans la mort de Marcellin.

Il n'avait pas eu tellement tort de se montrer dur envers elle. Elle avait lâché du fil. Mais elle n'en avait pas encore lâché suffisamment.

Il buvait son café à petites gorgées, debout devant le poêle. Coïncidence curieuse, la tasse, en faïence vulgaire, mais d'un modèle ancien, était presque la réplique de celle dont il se servait pendant son enfance et qu'il croyait alors unique.

— Vous ne mangez rien ?

— Pas maintenant.

— Dans un quart d'heure, il y aura du pain frais chez le boulanger.

Il se détendit enfin, et Jojo dut se demander pourquoi il se mettait à sourire. Il avait trouvé. Est-ce que Marcellin n'avait pas parlé à Jojo d'un « gros paquet » qu'il aurait pu gagner ? Il était ivre, soit, mais il lui arrivait souvent d'être ivre. Depuis combien de temps avait-il la possibilité de gagner ce paquet-là ? Ce n'était pas fatalement récent. Ginette venait dans l'île à peu près chaque mois. Elle était venue le mois précédent. Il était facile de s'en assurer. Marcellin, d'autre part, pouvait lui avoir écrit.

S'il pouvait gagner un gros paquet, il est probable que quelqu'un d'autre pouvait le faire à sa place, par exemple en sachant ce qu'il savait.

Maigret restait là, sa tasse à la main à fixer le rectangle lumineux de la porte, et Jojo lui lançait de petits coups d'œil curieux.

Lechat prétendait que Marcel était mort parce qu'il avait trop parlé de « son ami Maigret » et, à première vue, cela paraissait tiré aux cheveux.

C'était drôle de voir M. Pyke, presque nu, se détacher dans la lumière, sa serviette mouillée à la main, les cheveux collés sur son front.

Au lieu de le saluer, Maigret murmurait :

— Un instant...

Il y était presque. Un petit effort et les idées

allaient s'emboîter. En partant, par exemple, de l'idée que Ginette était venue parce qu'elle savait pourquoi Marcellin était mort.

Elle ne s'était pas obligatoirement dérangée pour empêcher la découverte du coupable. Une fois qu'elle aurait épousé M. Emile, elle serait riche, soit. Seulement, la vieille Justine n'était pas morte, elle pouvait traîner des années, en dépit des médecins. Si elle apprenait ce qui se tramait, elle était capable de faire une vacherie, afin d'empêcher son fils d'épouser qui que ce soit après sa mort.

Le « gros paquet » de Marcellin était pour tout de suite. Peut-être était-il encore possible de le gagner ? Malgré la présence de Maigret et de l'inspecteur Lechat ?

— Je vous demande pardon, monsieur Pyke. Vous avez bien dormi ?

— Très bien, répondit l'Anglais, imperturbable.

Maigret allait-il lui avouer qu'il avait compté les bruits de chasse d'eau ? C'était superflu, et, après son bain de mer, l'inspecteur de Scotland Yard était aussi frais qu'un poisson.

Tout à l'heure, en se rasant, le commissaire aurait le temps de penser au « gros paquet ».

6

Le cheval du major.

LES ANGLAIS ONT
du bon. Un collègue français, à la place de M. Pyke,
aurait-il résisté au désir de marquer le coup ? Et
Maigret, qui n'était pas spécialement taquin,
n'avait-il pas failli, tout à l'heure, faire une dis-
crète allusion à la chasse d'eau que l'inspecteur du
Yard avait tirée si souvent pendant la nuit ?

Peut-être la soirée avait-elle été plus arrosée
qu'ils ne se l'étaient figuré l'un et l'autre ? En tout
cas, ce fut assez inattendu. Ils étaient toujours
tous les trois, Maigret, Pyke et Jojo, dans la cuisine dont la porte restait ouverte. Maigret ache-
vait son café, et M. Pyke, en costume de bain,
s'interposait entre lui et la lumière, cependant que
Jojo essayait de lui trouver du bacon dans le garde-
manger. Il était exactement huit heures moins trois
et, alors en regardant l'horloge, Maigret prononça
d'une de ces voix innocentes, inimitables, qui vous
viennent au moment d'une gaffe :

— Je me demande si Lechat cuve toujours ses petits verres d'hier au soir.

Jojo tressaillit, mais évita de se retourner. Quant à M. Pyke, toute sa bonne éducation ne put empêcher qu'on vît comme des bulles d'étonnement affleurer à son visage. Ce fut pourtant avec une simplicité parfaite qu'il articula :

— Je viens de l'apercevoir qui prenait place à bord du *Cormoran*. Je suppose que celui-ci attendra Ginette.

Maigret avait ni plus ni moins oublié l'enterrement de Marcellin. Ce qui pis est, il lui revenait tout à coup que, la veille, il en avait parlé longuement, avec même un peu trop d'insistance, à son inspecteur. M. Pyke assistait-il à cette conversation ? Il n'aurait pu le dire, mais il se revoyait, assis sur la banquette.

— Tu iras avec elle, mon petit, tu comprends ? Je ne prétends pas que cela nous mènera quelque part. Peut-être qu'elle aura des réactions, peut-être pas. Peut-être quelqu'un essayera-t-il de lui parler en douce ? Peut-être que, de reconnaître une tête dans l'assistance, cela te dira quelque chose ? Il faut toujours aller aux enterrements, c'est un vieux principe qui m'a souvent réussi. Aie l'œil. C'est tout.

Il croyait même se souvenir que, tout en tutoyant l'inspecteur, il lui avait raconté deux ou trois histoires d'enterrements qui l'avaient mis sur la piste de criminels.

Il comprenait à présent pourquoi Ginette faisait tant de bruit dans sa chambre. Il l'entendit qui ouvrait sa porte et qui, d'en haut, criait :

— Sers-moi vite une tasse de café, Jojo. Combien de temps me reste-t-il ?

— Trois minutes, madame !

Juste à ce moment-là, un coup de sirène du *Cormoran* annonçait l'imminence du départ.

— Je vais jusqu'à l'embarcadère, annonça le commissaire.

En pantoufles et sans faux col, car il n'avait pas le temps de monter s'habiller. Il n'était pas le seul dans cette tenue. Il y avait des petits groupes à proximité du bateau, les mêmes, toujours, ceux qui étaient déjà là la veille quand le commissaire avait débarqué. Ils devaient assister à tous les départs et à toutes les arrivées. Avant de commencer la journée, ils venaient regarder le *Cormoran* quitter le port, après quoi, retardant encore un peu leur toilette, ils buvaient un coup de blanc chez Paul ou dans un des cafés.

Le dentiste, moins discret que M. Pyke, regarda avec insistance les pantoufles de Maigret, sa toilette inachevée, et son sourire satisfait disait, sans ambiguïté :

— Je vous avais prévenu ! Ça commence !

La porquerollite, évidemment, dont, lui, était atteint jusqu'à l'os. A voix haute, il se contenta de questionner :

— Bien dormi ?

Lechat, déjà à bord, pétulant, impatient, redescendit pour venir parler au patron.

— Je n'ai pas voulu vous réveiller. Elle ne vient pas ? Baptiste dit que si elle n'arrive pas tout de suite on partira sans elle.

Il y en avait d'autres à passer l'eau pour assister à l'enterrement de Marcellin, des pêcheurs endimanchés, le maçon, la marchande de tabac. Maigret ne vit pas Charlot aux environs et pourtant il l'avait aperçu tout à l'heure sur la place. Rien ne bougeait à bord du *North Star*. Au moment où le muet allait larguer l'amarre, Ginette parut, moitié marchant, moitié courant, vêtue de soie noire, avec un chapeau noir, une voilette, laissant dans l'air un sillage froufroutant et parfumé. On la hissa à bord comme dans un numéro de prestidigitation, et ce n'est qu'une fois assise qu'elle vit le commissaire sur le quai et qu'elle lui adressa un petit bonjour de la tête.

La mer était si lisse, si lumineuse que, quand on l'avait longtemps fixée, on ne distinguait plus, pendant un moment, le contour des objets. Le *Cormoran* dessinait sur l'eau une courbe argentée. Les gens restaient encore un instant à le suivre, par habitude et par tradition, puis se mettaient en marche, lentement, vers la place. Un pêcheur, qui venait de piquer une pieuvre de sa fouine, la dépouillait et les tentacules s'enroulaient à son bras tatoué.

A l'*Arche*, Paul, l'œil frais, servait des vins blancs derrière son comptoir, et M. Pyke, qui avait eu le temps de s'habiller, mangeait des œufs au bacon à une table. Maigret but un verre, comme les autres, et un peu plus tard, tandis qu'il était occupé à se raser, devant sa fenêtre, les bretelles sur les cuisses, on frappa à sa porte.

C'était l'Anglais.

— Je ne vous dérange pas ? Vous permettez ?

Il s'assit sur l'unique chaise, et le silence fut assez long.

— J'ai passé une partie de la soirée à bavarder avec le major, dit-il enfin. Savez-vous qu'il a été un de nos plus fameux joueurs de polo ?

Il dut être déçu de la réaction, plus exactement de l'absence de réaction de Maigret. Celui-ci n'avait qu'une idée vague du jeu de polo. Tout au plus savait-il que cela se pratique à cheval et qu'il existe quelque part, au bois de Boulogne ou à Saint-Cloud, un club de polo très aristocratique.

M. Pyke, avec l'air de rien, lui tendait la perche.

— C'est un cadet de famille.

Pour lui, cela devait dire beaucoup. Est-ce qu'en Angleterre, dans les grandes familles, l'aîné n'est pas seul à hériter du titre et de la fortune, ce qui oblige les autres à se faire une carrière dans l'armée ou dans la marine?

— Son frère appartient à la chambre des Lords Le major a choisi l'armée des Indes.

Le même phénomène devait se produire en sens inverse quand Maigret parlait à demi-mot à son collègue anglais de gens comme Charlot, comme M. Emile, comme Ginette. Mais M. Pyke était patient, mettait les points sur les *i* avec une discrétion exquise, comme sans y toucher.

— Quand on porte un certain nom, on répugne à rester à Londres si on n'a pas les moyens d'y faire figure. La grande passion, à l'armée des Indes, est celle des chevaux. Pour jouer au polo, une écurie de plusieurs poneys est nécessaire.

— Le major ne s'est jamais marié?

— Les cadets se marient rarement. En prenant les charges d'une famille, Bellam aurait dû renoncer aux chevaux.

— Et il a préféré les chevaux!

Cela ne semblait pas du tout étonnant à M. Pyke.

— Le soir, là-bas, les célibataires se retrouvent au club et n'ont d'autre distraction que de boire. Le major a beaucoup bu dans sa vie. Aux Indes,

113

c'était le whisky. Ce n'est qu'ici qu'il s'est mis au champagne.

— Il vous a dit pourquoi il a choisi de vivre à Porquerolles ?

— Il a eu une catastrophe épouvantable, la pire qui pouvait s'abattre sur lui. A la suite d'une mauvaise chute de cheval, il a été immobilisé au lit pendant trois ans, la moitié du temps dans le plâtre, et, quand il a été debout, il a su que l'équitation lui était désormais interdite.

— C'est la raison pour laquelle il a quitté les Indes ?

— C'est pour cela qu'il est ici. Je suis sûr qu'un peu partout dans les climats comme celui-ci, en Méditerranée ou dans le Pacifique, vous rencontreriez de vieux gentlemen dans le genre du major, qui passent pour des originaux. Où pourraient-ils aller d'autre ?

— Ils n'ont pas envie de retourner en Angleterre ?

— Leurs ressources ne leur permettraient pas de vivre à Londres selon leur rang, et les habitudes qu'ils ont prises les feraient assez mal voir dans la campagne anglaise.

— Il vous a dit pourquoi il ne salue pas Mrs Wilcox ?

— Il n'a pas eu besoin de me le dire.

Fallait-il insister ? Ou bien M. Pyke, lui aussi, préférerait-il ne pas trop entendre parler de sa compatriote ? Mrs Wilcox, pourtant, n'était en somme, en femme, que ce que le major était en homme.

Maigret s'essuyait les joues, hésitait à endosser son veston. L'inspecteur du Yard n'avait pas mis le sien. Il faisait déjà chaud. Mais le commissaire ne pouvait pas se permettre, comme son svelte collègue, de ne pas porter de bretelles, et un homme en bretelles a toujours l'air d'un boutiquier en pique-nique.

Il mit son veston. Ils n'avaient plus rien à faire dans la chambre où M. Pyke, en se levant, murmurait :

— Le major, malgré tout, est resté un gentleman.

Il suivit Maigret dans l'escalier. Il ne lui demandait pas ce qu'il comptait faire, mais il le suivait, et cela suffisait à gâcher la journée du commissaire.

Il s'était vaguement promis, à cause, justement, de M. Pyke, de se comporter ce matin-là en haut fonctionnaire de la police. En principe, un commissaire de la P. J. ne court pas les rues et les bistrots à la recherche d'un assassin. C'est un monsieur important, qui passe la plupart de son temps dans son bureau, dirige, tel, dans son Q. G., un général, une petite armée de brigadiers, d'inspecteurs et de techniciens.

Maigret n'avait jamais pu s'y résoudre. Comme un chien de chasse, il avait besoin de fureter en personne, de gratter, de renifler les odeurs.

Les deux premiers jours, Lechat avait accompli un travail considérable et il avait remis à Maigret un compte rendu de tous les interrogatoires auxquels il s'était livré. L'île entière y avait passé, les Morin et les Galli, le docteur malade, le curé que Maigret n'avait pas encore aperçu, et les femmes par surcroît.

Maigret se serait installé dans un coin de la salle à manger, qui était vide toute la matinée, et il aurait gravement étudié ces rapports, en les marquant au crayon bleu ou rouge.

Avec un petit coup d'œil inquiet, il demanda à M. Pyke :

— Est-ce qu'il arrive à vos collègues du Yard de courir les routes comme des débutants ?

— J'en connais au moins trois ou quatre qu'on ne voit jamais dans leur bureau.

Tant mieux, car il n'avait pas envie de rester assis. Il commençait à comprendre pourquoi on rencontrait toujours les gens de Porquerolles aux mêmes endroits. C'était instinctif. On était en quelque sorte happé malgré soi par le soleil, par le paysage. Maintenant, par exemple, Maigret et son compagnon faisaient quelques pas dehors, sans but, et se rendaient à peine compte qu'ils descendaient vers le port.

Maigret était sûr que si, d'aventure, il était obligé de passer le reste de ses jours dans l'île, il ferait chaque matin la même promenade et que la pipe de cette heure-là serait toujours sa meilleure pipe de la journée. Le *Cormoran*, là-bas, de l'autre côté de l'eau, à la pointe de Giens, débarquait son monde qui s'enfournait dans un vieil autobus. Même à l'œil nu, on parvenait à distinguer le bateau comme un tout petit point blanc.

Le muet allait charger des cageots de légumes et de fruits pour le maire, pour la Coopérative, de la viande pour le boucher, les sacs de courrier. Des gens embarqueraient peut-être, comme Maigret et M. Pyke avaient embarqué la veille, et auraient sans doute le même éblouissement en découvrant le paysage sous-marin.

Les matelots du grand yacht blanc briquaient le pont. C'étaient des hommes d'âge moyen qui allaient de temps en temps boire un petit verre, sans frayer avec les gens du pays, chez Morin-Barbu.

A droite du port, un sentier escaladait la berge escarpée, en forme de falaise et aboutissait à une cabane dont la porte était ouverte.

Un pêcheur, assis sur le seuil, maintenait de ses orteils nus un filet tendu et ses mains, lestes comme celle d'une brodeuse, passaient une navette dans les mailles.

C'est là que Marcellin avait été tué. Les deux policiers jetèrent un coup d'œil à l'intérieur. Le centre était occupé par un énorme chaudron comme ceux dont on se sert dans les campagnes pour bouillir la soupe des cochons. Ici, c'étaient les filets qu'on mettait à bouillir dans une mixture brune qui les protégeait contre l'action de l'eau de mer.

De vieilles voiles devaient servir de paillasse à Marcellin et dans les coins traînaient des pots de peinture, des bidons à huile ou à pétrole, des ferrailles, des avirons rafistolés.

— Cela arrive-t-il à d'autres de coucher ici ? demanda Maigret au pêcheur.

Celui-ci leva la tête avec indifférence.

— Le vieux Benoît, des fois, quand il pleut.

— Et quand il ne pleut pas ?

— Il aime mieux dormir dehors. Cela dépend. Quelquefois dans une calanque ou sur le pont d'un bateau. Quelquefois aussi sur un banc de la place.

— Vous l'avez vu aujourd'hui ?

— Il était par-là tout à l'heure.

Le pêcheur désignait le sentier qui continuait à longer la mer à une certaine hauteur et qui, d'un côté, était bordé par des pins.

— Il était seul ?

— Je crois que le monsieur qui est à l'*Arche* l'a rejoint un peu plus loin.

— Lequel ?

— Celui qui porte un costume de toile et une casquette blanche.

C'était Charlot.

— Il est repassé par ici ?

— Il y a bien une demi-heure.

Le *Cormoran* n'était toujours qu'un point blanc dans le bleu du monde, mais ce point blanc, maintenant, était nettement détaché du rivage. D'autres embarcations saupoudraient la mer, certaines immobiles, quelques-unes qui gravitaient lentement, traînant un sillage lumineux derrière elles.

Maigret et M. Pyke redescendirent vers le port, longèrent la jetée, comme la veille au soir, regardèrent machinalement un gamin qui pêchait le congre à l'aide d'une courte ligne.

Quand ils passèrent devant le petit bateau du Hollandais, Maigret jeta un coup d'œil à l'intérieur et fut un peu surpris en apercevant Charlot en conversation avec de Greef.

M. Pyke suivait toujours, silencieux. S'attendait-il à ce qu'il se passât quelque chose ? Essayait-il de deviner les pensées de Maigret ?

Ils allèrent jusqu'au bout de la jetée, revinrent sur leurs pas, passèrent à nouveau devant le *Fleur d'amour,* et Charlot était encore à la même place.

Trois fois, ils parcoururent les cent mètres de la jetée et, la troisième fois, Charlot montait sur le pont du petit yacht, se retournait pour dire au revoir et s'engageait sur la planche qui servait de passerelle.

Les deux hommes étaient tout près de lui. Ils allaient se croiser. Maigret, après une hésitation, s'arrêta. C'était l'heure où l'autobus de Giens devait arriver à Hyères. Les gens de l'enterrement allaient boire un coup avant de se rendre à la morgue.

— Dites-moi, je vous ai cherché, ce matin.

— Comme vous pouvez le constater, je n'ai pas quitté l'île.

— C'est justement à ce sujet-là que j'ai à vous parler. Je ne vois plus aucune raison de vous retenir ici. Vous m'avez dit, je crois, que vous n'y étiez venu que pour deux ou trois jours et que, sans la mort de Marcellin, vous seriez déjà reparti. L'inspecteur a cru bon de vous faire rester. Je vous rends votre liberté.

— Je vous remercie.

— Je vous demande seulement de me dire où je pourrai vous rejoindre au besoin.

Charlot, qui fumait une cigarette, regarda un instant le bout de celle-ci avec l'air de réfléchir.

— A l'*Arche !* dit-il enfin.

— Vous ne partez plus ?

— Pas pour le moment.

Et, relevant la tête, il fixa le commissaire dans les yeux.

— Cela vous étonne ? On dirait même que cela vous ennuie de me voir rester. Je suppose que cela m'est permis ?

— Je ne puis vous en empêcher. J'avoue que je serais curieux de savoir ce qui vous a fait changer d'avis.

— Je n'ai pas une profession particulièrement absorbante, n'est-ce pas ? Pas de bureau, d'usine, de maison de commerce, pas d'employés ou d'ouvriers qui m'attendent. Vous ne trouvez pas qu'on est bien ici ?

Il n'essayait pas de cacher son ironie. On voyait le maire, toujours en longue blouse grise, descendre vers le port en poussant sa charrette à bras. Le pisteur du *Grand Hôtel* était là aussi, et le facteur en casquette d'uniforme.

Le *Cormoran* se trouvait maintenant juste au milieu de la passe et il atteindrait le débarcadère dans un quart d'heure.

— Vous avez eu une longue conversation avec le vieux Benoît ?

— Quand je vous ai aperçu tout à l'heure près de la cabane, j'ai pensé que vous me demanderiez ça. Vous questionnerez Benoît à votre tour, je ne peux pas vous en empêcher, mais je peux vous dire à l'avance qu'il ne sait rien. C'est en tout cas ce que j'ai cru comprendre, car il n'est pas facile d'interpréter son langage. Peut-être, après tout, serez-vous plus heureux que moi.

— Vous cherchez quelque chose ?

— Peut-être la même chose que vous.

C'était presque un défi, lancé avec bonne humeur.

— Qu'est-ce qui vous fait penser que cela pourrait vous intéresser ? Marcellin vous a parlé ?

— Pas plus qu'aux autres. Il était toujours un peu gêné devant moi. Les demi-sels ne sont pas à leur aise en face des caïds.

Tout à l'heure, il faudrait expliquer le mot caïd à M. Pyke qui, visiblement, le mettait de côté dans une case de son cerveau.

Maigret entrait dans le jeu, parlait, lui aussi, du bout des lèvres, sur un ton léger, comme s'il prononçait des mots sans importance.

— Vous savez pourquoi Marcellin a été tué, Charlot ?

— J'en sais à peu près autant que vous. Et, ma foi, j'en tire probablement les mêmes conclusions, mais à d'autres fins.

Il souriait, plissait les paupières dans le soleil.

— Jojo vous a parlé ?

— A moi ? On ne vous a pas dit que nous nous détestons tous les deux comme chien et chat ?

— Vous lui avez fait quelque chose ?

— Elle n'a pas voulu. C'est justement ce qui nous sépare.

— Je me demande, Charlot, si vous ne feriez pas mieux de retourner au Pont du Las.

— Et moi, tout en vous remerciant du conseil, je préfère rester.

Un youyou se détachait du *North Star,* et on reconnaissait à bord la silhouette de Moricourt qui se mettait aux avirons. Il était seul dans l'embarcation. Sans doute, comme les autres, venait-il à l'arrivée du *Cormoran* et monterait-il jusqu'au bureau de poste pour prendre son courrier.

Charlot, qui suivait le regard de Maigret, semblait suivre en même temps ses pensées. Comme le commissaire était tourné vers le bateau du Hollandais, il prononça :

— C'est un curieux garçon, mais je ne crois pas que ce soit lui.

— Vous parlez de l'assassin de Marcellin ?

— On ne peut rien vous cacher. Remarquez que l'assassin ne m'intéresse pas en lui-même. Seulement, sauf au cours d'une rixe, on ne tue pas quelqu'un sans raison, pas vrai ? Même et surtout si ce quelqu'un proclame à qui veut l'entendre qu'il est l'ami du commissaire Maigret.

— Vous étiez à l'*Arche* quand Marcellin a parlé de moi ?

— Tout le monde y était, je veux dire tous ceux dont vous êtes en train de vous occuper. Et Marcellin, surtout quand il avait bu quelques verres, avait la voix assez perçante.

— Vous savez pourquoi il disait cela, précisément ce soir-là ?

— Vous y voilà. Figurez-vous que c'est la première question que je me suis posée quand j'ai appris qu'il était mort. Je me suis demandé à qui le pauvre garçon s'adressait. Vous comprenez ?

Maigret comprenait parfaitement.

— Vous avez trouvé une réponse satisfaisante ?

— Pas encore. Si je l'avais trouvée, je retournerais au Pont du Las par le prochain bateau.

— J'ignorais que vous aimiez jouer les détectives-amateurs.

— Vous rigolez, commissaire.

Celui-ci s'obstinait toujours, avec l'air de ne pas y toucher, à faire dire à son partenaire quelque chose que l'autre se refusait à dire.

C'était un drôle de jeu, dans le soleil de la jetée, avec M. Pyke qui tenait le rôle d'arbitre et restait scrupuleusement neutre.

— En définitive, vous partez de l'idée que Marcellin n'a pas été tué sans raison.

— Comme vous dites.

— Vous supposez que son assassin cherchait à s'approprier quelque chose que Marcellin avait en sa possession.

— Nous ne le supposons ni l'un ni l'autre, ou alors votre réputation est bougrement surfaite.

— On a voulu le faire taire ?

— Vous brûlez, commissaire.

— Il avait fait une découverte qui mettait quelqu'un en danger ?

— Pourquoi tenez-vous tant à savoir ce que je pense, puisque vous en savez aussi long que moi ?

— Y compris le *gros tas* ?

— Y compris le *gros tas*.

Après quoi, Charlot, allumant une nouvelle cigarette, de lancer :

— Les *gros tas* m'ont toujours intéressé, vous pigez maintenant ?

— C'est pour cela que, ce matin, vous avez rendu visite au Hollandais ?

— Celui-là est raide comme un passe-lacet.

— Ce qui signifie que ce n'est pas lui ?

— Je n'ai pas dit ça. Je dis seulement que Marcellin ne pouvait pas espérer en tirer de l'argent.

— Vous oubliez la fille.

— Anna ?

— Son père est très riche.

Cela fit réfléchir Charlot, mais il finit par hausser les épaules. Le *Cormoran* passait devant la première pointe rocheuse et pénétrait dans le port.

— Vous permettez ? J'attends peut-être quelqu'un.

Et Charlot toucha ironiquement sa casquette, se dirigea vers l'embarcadère.

Tandis que Maigret bourrait sa pipe, M. Pyke prononça :

— Je crois que ce garçon est très intelligent.

— Il est assez difficile de réussir dans son métier sans ça.

Le pisteur du *Grand Hôtel* s'emparait des bagages d'un couple de jeunes mariés. Le maire, qui était monté à bord, examinait les étiquettes des colis. Charlot aidait une jeune femme à descendre à terre et la conduisait vers l'*Arche*. Il attendait donc vraiment quelqu'un. Il avait dû téléphoner la veille.

Au fait, d'où l'inspecteur Lechat, l'avant-veille, avait-il téléphoné à Maigret pour le mettre au courant ? Si c'était de l'*Arche*, où l'appareil mural se trouvait près du comptoir, tout le monde l'avait entendu. Il faudrait penser à lui poser la question.

Le dentiste était à nouveau là, dans la même tenue que le matin, non rasé, peut-être non lavé, un vieux chapeau de paille sur la tête. Il regardait le *Cormoran* et cela lui suffisait. Il paraissait heureux de vivre.

Est-ce que Maigret et M. Pyke allaient suivre le mouvement, monter à pas lents jusqu'à l'*Arche*, s'approcher du comptoir et boire le verre de vin blanc qu'on leur servirait sans leur demander ce qu'ils désiraient ?

Le commissaire surveillait son compagnon du coin de l'œil et, de son côté, M. Pyke, bien qu'impassible, avait l'air de l'épier.

Pourquoi faire autrement que les autres, après tout ? L'enterrement de Marcellin se déroulait à Hyères. Derrière le corbillard, Ginette tenait lieu de famille et elle devait se tamponner le visage de son mouchoir roulé en boule. Il faisait une chaleur lourde, là-bas, dans les avenues bordées de palmiers immobiles.

— Vous aimez le vin blanc de l'île, monsieur Pyke ?

— J'en boirais volontiers un verre.

Le facteur traversait l'étendue nue de la place en poussant un charreton dans lequel s'empilaient les sacs de courrier. En levant la tête, Maigret vit les fenêtres de l'*Arche* grandes ouvertes et, dans l'encadrement de l'une d'elles, Charlot, en premier plan, accoudé à la barre d'appui. Derrière lui, dans la pénombre dorée, une jeune femme était occupée à retirer sa robe qu'elle passait par-dessus sa tête.

— Il a beaucoup parlé et je me demande s'il n'avait pas envie de m'en dire davantage.

Cela viendrait plus tard. Les gens comme Charlot résistent mal au désir de prendre une attitude avantageuse. Alors que Maigret et M. Pyke s'asseyaient à la terrasse, ils virent M. Emile, plus petite souris blanche que jamais, qui s'engageait sur la place à pas menus, un panama sur la tête, et se dirigeait obliquement vers le bureau de poste, situé à gauche de l'église, tout en haut. La porte était ouverte. Quatre ou cinq personnes attendaient, pendant que la postière triait le courrier.

On était samedi. Jojo lavait à grande eau les carreaux rouges de la salle, elle avait les pieds nus, des filets d'eau sale dégoulinaient sur la terrasse.

Paul apporta non deux verres de vin blanc, mais une bouteille.

— Vous connaissez la femme qui est montée dans la chambre de Charlot ?

— C'est son amie.

— Elle est en maison ?

— Je ne crois pas. Elle est vaguement danseuse ou chanteuse dans une boîte de nuit de Marseille. C'est la troisième ou la quatrième fois qu'elle vient ici.

— Il lui a téléphoné ?

— Hier après-midi, pendant que vous étiez dans votre chambre.

— Vous savez ce qu'il lui a dit ?

— Il lui a simplement demandé de venir passer le *week-end*. Elle a accepté tout de suite.

— Charlot et Marcellin étaient amis ?

— Je ne me souviens pas les avoir vus ensemble, je veux dire seulement tous les deux.

— Je voudrais que vous essayiez de vous rappeler exactement. Quand, le soir, Marcellin a parlé de moi...

— Je comprends ce que vous voulez dire. Votre inspecteur m'a posé la même question.

— Je suppose qu'au début de la soirée les clients étaient à différentes tables, comme hier soir ?

— Oui. Cela commence toujours comme ça.

— Savez-vous ce qui s'est passé ensuite ?

— Quelqu'un a fait marcher le phonographe, je ne sais plus qui. Mais je me souviens qu'il y avait de la musique. Le Hollandais et son amie se sont mis à danser. Cela me revient parce que j'ai remarqué qu'elle se laissait aller dans ses bras comme une poupée de chiffons.

— D'autres personnes ont dansé ?

— Mrs Wilcox et M. Philippe. C'est un très bon danseur.

— Où était Marcellin à ce moment-là ?

— Il me semble que je le revois au comptoir.

— Très ivre ?

— Pas très, mais assez... Attendez. Un détail. Il a insisté pour faire danser Mrs Wilcox...

— Marcellin ?

Etait-ce exprès que, quand on parlait de sa compatriote, M. Pyke avait soudain l'air absent ?

— Elle a accepté ?

— Ils ont dansé quelques pas. Marcellin a dû trébucher. Il aimait faire le clown quand il y avait du monde. C'est elle qui a offert la première tournée. Oui. Il y avait une bouteille de whisky sur leur table. Elle n'aime pas qu'on la serve au verre. Marcellin en a bu et a réclamé du vin blanc.

— Le major ?

— Justement, c'est à lui que je pense. Il se tenait dans le coin opposé et je cherche qui il avait avec lui. Je pense que c'était Polyte.

— Qui est Polyte ?

— Un Morin. Celui qui a le bateau vert. L'été il fait faire le tour de l'île aux touristes. Il porte une casquette de capitaine au long cours.

— Il est capitaine ?

— Il a fait son service dans la marine et il doit avoir le grade de quartier-maître. Il accompagne souvent le major à Toulon. Le dentiste buvait avec eux. Marcellin s'est mis à aller d'une table à l'autre, avec son verre, et, si je ne me trompe, il mélangeait du whisky à son vin blanc.

— Comment a-t-il commencé à parler de moi ? A qui ? Etait-il à ce moment à la table du major ou à celle de Mrs Wilcox ?

— Je fais mon possible. Vous avez vu vous-même comment cela se passe et, hier, c'était une soirée calme. Les Hollandais étaient près de Mrs Wilcox. Je crois que c'est de cette table-là que la conversation est partie. Marcellin était debout, au milieu de la pièce, quand je l'ai entendu déclamer :

« — *Mon ami, le commissaire Maigret... Parfaitement, mon ami, et je sais ce que je dis... Je peux le prouver...* »

— Il a montré une lettre ?

— Pas à ma connaissance. J'étais occupé, avec Jojo, à faire le service.

— Votre femme était dans la salle ?

— Il me semble qu'elle était montée. Elle a l'habitude de monter dès qu'elle a fini ses comptes. Elle n'est pas bien portante et a besoin de beaucoup de sommeil.

— En somme, Marcellin pouvait aussi bien s'adresser au major Bellam qu'à Mrs Wilcox ou qu'au Hollandais ? Et même à Charlot ou à quelqu'un d'autre ? Au dentiste, par exemple ? A M. Emile ?

— Je crois.

On le réclamait à l'intérieur et il les quitta en s'excusant. Les gens qui sortaient du bureau de poste commençaient à traverser l'étendue ensoleillée de la place, où, dans un coin, une femme se tenait derrière une table sur laquelle elle avait étalé des légumes. Le maire, à côté de l'*Arche,* déchargeait ses cageots.

— On vous demande au téléphone, monsieur Maigret.

Il pénétra dans la pénombre du café, saisit l'écouteur.

— C'est vous, patron ? Ici, Lechat. C'est fini. Je suis dans un bar près du cimetière. La dame que vous savez est avec moi. Elle ne me quitte pas depuis le *Cormoran.* Elle a eu le temps de me raconter toute sa vie.

— Comment cela s'est-il passé ?

— Très bien. Elle a acheté des fleurs. D'autres gens de l'île en ont déposé sur la tombe. Il faisait très chaud au cimetière. Je ne sais pas que décider. Je crois que je vais être obligé de l'inviter à déjeuner.

— Elle t'entend ?

— Non. Je suis dans une cabine. Je la vois par la vitre. Elle se met de la poudre en se regardant dans une petite glace.

— Elle n'a rencontré personne ? Elle n'a pas téléphoné ?

— Elle ne m'a pas quitté une seconde. J'ai même dû l'accompagner chez le fleuriste et, derrière le corbillard, comme je marchais à côté d'elle, j'avais l'air d'être de la famille.

— Vous avez pris l'autobus pour aller de Giens à Hyères ?

— Je ne pouvais pas faire autrement que de l'inviter à monter dans ma voiture. Tout va bien, dans l'île ?

— Tout va bien.

Quand il revint sur la terrasse, Maigret trouva le dentiste qui s'était assis à côté de M. Pyke et qui s'attendait évidemment à partager la bouteille de vin blanc.

Philippe de Moricourt, un paquet de journaux sous le bras, hésitait à entrer à l'*Arche*.

M. Emile, à pas prudents, se dirigeait vers sa villa où l'attendait la vieille Justine, et, comme tous les jours, des odeurs de bouillabaisse sortaient de la cuisine.

CHAPITRE

7

L'après-midi de la postière.

Ce n'était pas un surnom. La grosse fille ne l'avait pas fait exprès. Elle s'appelait réellement Aglaé depuis son baptême. Elle était très grosse, surtout du bas, déformée comme une femme de cinquante ou soixante ans qui vieillit gros et, par contraste, son visage n'en paraissait que plus enfantin, car Aglaé avait tout au plus vingt-six ans.

Maigret avait découvert, cet après-midi-là, tout un quartier de Porquerolles quand, toujours accompagné de M. Pyke, il avait traversé pour la première fois la place de part en part pour se diriger vers le bureau de poste. Est-ce que des relents d'encens émanaient vraiment de la petite église, où les offices solennels ne devaient pas être nombreux ?

C'était la même place qu'en face de l'*Arche*, et pourtant on aurait juré que, dans le haut, l'air était plus chaud, plus épais. Des jardinets, devant deux ou trois maisons, étaient des fouillis de fleurs et d'abeilles. Les bruits du port n'arrivaient qu'assourdis. Deux vieillards jouaient aux boules, à *pétanque*, c'est-à-dire sans lancer les boules cloutées à plus de quelques mètres de leurs pieds, et c'était curieux de les voir prendre des précautions pour se baisser.

L'un d'eux était Ferdinand Galli, le patriarche de tous les Galli de l'île, qui tenait un café dans ce coin de la place, un café où le commissaire n'avait jamais vu monter personne. Il ne devait être fréquenté que par des voisins, ou par les Galli de la tribu. Son partenaire était un retraité propret et entièrement sourd qui portait une casquette de cheminot, et un autre octogénaire, assis sur le banc de la poste, les regardait, en somnolant.

Car, à côté de la porte ouverte du bureau de poste, il y avait un banc peint en vert, sur lequel Maigret allait passer une partie de son après-midi.

— Je me demandais si vous finiriez par monter ! s'était exclamée Aglaé en le voyant entrer. Je me doutais bien que vous auriez besoin de téléphoner et que cela ne vous amuserait pas de le faire de l'*Arche*, où tant de monde entend ce que vous dites.

— Ce sera long d'avoir Paris, mademoiselle ?

— En priorité, je vous l'aurai en quelques minutes.

— Alors, demandez-moi la P. J.

— Je connais le numéro. C'est moi qui ai donné la communication à votre inspecteur quand il vous a appelé.

Il faillit lui demander :

— Et vous avez écouté ?

Mais elle n'allait pas tarder à le renseigner d'elle-même.

— A qui voulez-vous parler, à la P. J. ?

— Au brigadier Lucas. S'il n'y est pas, à l'inspecteur Torrence.

Quelques instants plus tard, il avait Lucas au bout du fil.

— Quel temps fait-il, là-bas, vieux ? Il pleut toujours ? Des averses ? Bon ! Ecoute, Lucas. Débrouille-toi pour m'avoir tout de suite des renseignements sur un nommé Philippe de Moricourt. Oui. Lechat a vu ses papiers et prétend que c'est son vrai nom. Son dernier domicile à Paris était un meublé de la rive gauche, rue Jacob, au 17 *bis*... Ce que je veux savoir au juste ? Je n'ai pas d'idée préconçue. Tout ce que tu pourras apprendre. Je ne pense pas qu'il ait une fiche aux Sommiers, mais tu peux toujours t'en assurer. Fais le maximum par téléphone et appelle-moi ensuite ici. Pas de numéro. Simplement Porquerolles. Je voudrais aussi que tu téléphones à la police d'Ostende. Demande si on connaît un certain Bebelmans, qui est, je crois, un important armateur. Même chose. Tout ce que tu pourras apprendre. Ce n'est pas tout. Ne coupez pas, mademoiselle. Tu as des accointances à Montparnasse ? Vois ce qu'on raconte d'un Jef de Greef, qui est plus ou moins peintre et qui a vécu un certain temps sur la Seine, dans son bateau amarré près du Pont-Marie. Tu as pris note ? C'est tout, oui. N'attends pas d'avoir tous les renseignements pour me rappeler. Mets autant de monde que tu voudras là-dessus. Tout va bien, au bureau ?... *Qui* est-ce qui a accouché ?... La femme de Janvier ?... Fais-lui mes compliments.

Quand il sortit de la cabine, il vit Aglaé qui, tranquillement, sans une ombre de gêne, retirait le casque d'écoute de sa tête.

— Vous écoutez toujours les conversations ?

— Je suis restée à l'appareil pour le cas où la ligne serait coupée. Je me méfie de l'opératrice d'Hyères, qui est une chipie.

— Vous faites de même pour tout le monde ?

— Le matin, je n'ai pas le temps à cause du courrier, mais, l'après-midi, c'est plus facile.

— Est-ce que vous prenez note des communications téléphoniques demandées par les habitants de l'île ?

— J'y suis obligée.

— Pourriez-vous m'établir une liste de toutes les communications que vous avez données pendant les derniers jours ? Mettons les huit derniers jours.

— Tout de suite. J'en ai pour quelques minutes.

— C'est vous aussi qui recevez les télégrammes, n'est-ce pas ?

— Il n'y en a pas beaucoup, sauf en saison. J'en ai eu un ce matin qui vous intéressera sûrement.

— Comment le savez-vous ?

— C'est un télégramme que quelqu'un a expédié d'ici, quelqu'un qui a l'air de s'intéresser à une des personnes, au moins, sur qui vous venez de demander des renseignements.

— Vous en avez la copie ?

— Je vous la cherche.

Un moment plus tard, elle tendait une formule au commissaire, qui lut :

Fred Masson, chez Angelo, rue Blanche, Paris.
Voudrais renseignements complets sur Philippe
de Moricourt adresse rue Jacob Paris stop *Prière*
télégraphier Porquerolles. Amitiés.

Signé : CHARLOT.

Maigret le fit lire à M. Pyke, qui se contenta
de hocher la tête.

— Vous voulez me préparer la liste des appels,
mademoiselle ? J'attends dehors avec mon ami.

C'est ainsi que, pour la première fois, ils allèrent
s'asseoir sur le banc, à l'ombre des eucalyptus de
la place, et le mur, dans leur dos, était rose et
chaud. Il y avait quelque part un figuier invisible
dont ils respiraient l'odeur sucrée.

— Tout à l'heure, dit M. Pyke en regardant
l'horloge de l'église, je vous demanderai la permission de vous quitter pour un moment, si cela
ne vous contrarie pas.

Est-ce par politesse qu'il feignait de croire que
Maigret en serait désolé ?

— Le major m'a invité à prendre un verre dans
sa villa vers cinq heures. Je l'aurais blessé en refu-
sant.

— Je vous en prie.

— J'ai pensé que vous seriez probablement occupé.

Le temps à peine, pour le commissaire, de fumer une pipe, en regardant les deux vieux jouer
aux boules, et Aglaé appelait d'une voix aiguë, à
travers son guichet :

— Monsieur Maigret ! C'est prêt !

Il alla prendre la feuille qu'elle lui tendait et revint s'asseoir à côté de l'homme du Yard.

Elle avait fait son travail consciencieusement,

d'une écriture appliquée d'écolière, avec trois ou quatre fautes d'orthographe.

Le mot *boucher* revenait plusieurs fois dans la liste. Apparemment, il téléphonait chaque jour à Hyères pour commander sa viande du lendemain. Puis il y avait la Coopérative dont les appels étaient aussi fréquents, mais plus variés.

Maigret traça un trait un peu plus bas que le milieu de la liste, séparant ainsi les appels qui avaient été faits avant la mort de Marcellin et ceux qui avaient été faits après.

— Vous prenez des notes ? remarqua M. Pyke en voyant son compagnon ouvrir un gros calepin.

Est-ce que cela n'impliquait pas que, pour la première fois, il voyait Maigret se comporter en vrai commissaire ?

Le nom qui figurait le plus souvent sur la liste était celui de Justine. Elle appelait Nice, Marseille, Béziers, Avignon, et il y avait, en une semaine, quatre communications avec Paris.

— Nous verrons cela tout à l'heure, fit Maigret. Je suppose que la postière a eu soin d'écouter. Cela se fait aussi en Angleterre ?

— Je ne crois pas que ce soit légal, mais il est possible que cela se fasse à l'occasion.

La veille, Charlot avait téléphoné à Marseille. Maigret le savait déjà. C'était pour faire venir son amie, qu'on avait vue débarquer du *Cormoran*, et avec qui, maintenant, il jouait aux cartes à la terrasse de l'*Arche*.

Car on voyait l'*Arche* de loin, avec des silhouettes qui s'agitaient autour. D'ici, où il faisait si calme, cela donnait l'impression d'une activité de ruche.

Le plus intéressant, c'est que le nom de Marcellin figurait sur la liste. Il avait appelé un numéro de Nice, deux jours exactement avant sa mort.

Du coup, Maigret entra dans le bureau de poste et M. Pyke l'y suivit.

— Savez-vous quel est ce numéro, mademoiselle ?

— Bien sûr. C'est celui de la maison où la dame travaille. Justine le demande tous les jours : vous pouvez le voir sur la liste.

— Vous avez écouté les conversations de Justine ?

— Souvent. Je ne m'en donne plus la peine, car c'est toujours la même chose.

— C'est elle qui parle, ou son fils ?

— C'est elle qui parle, et c'est M. Emile qui écoute.

— Je ne comprends pas.

— Elle est sourde. Alors M. Emile a l'écouteur à l'oreille, et il lui répète ce qu'on dit. Après elle crie si fort dans l'appareil qu'on a de la peine à distinguer les syllabes. Son premier mot est toujours :

» — Combien ?

» — On lui donne le chiffre de la recette. M. Emile, à côté d'elle, en prend note par écrit. Elle appelle tour à tour chacune de ses maisons.

— Je suppose qu'à Nice c'est Ginette qui répond ?

— Oui, puisque c'est elle la sous-maîtresse.

— Et les communications avec Paris ?

— Il y en a moins. Toujours avec la même personne, un certain M. Louis. Et toujours pour réclamer des femmes. Il dit l'âge et le prix. Elle répond oui ou non. Elle marchande parfois comme à une foire du village.

— Vous n'avez rien remarqué de particulier dans ses conversations, ces derniers temps? M. Emile n'a pas téléphoné personnellement?

— Je crois qu'il n'oserait pas.

— Sa mère ne le lui permet pas?

— Elle ne lui permet à peu près rien.

— Et Marcellin?

— J'allais justement vous en parler. C'était rare, celui-là, qu'il vienne au bureau, et c'était alors pour toucher des mandats. Je crois qu'en un an il ne lui est pas arrivé trois fois de télépho-ner.

— A qui?

— Une fois, c'était à Toulon, pour commander une pièce de moteur dont il avait besoin pour son bateau. Une autre fois à Nice...

— A Ginette?

— C'était pour lui dire qu'il n'avait pas pu toucher le mandat. Il recevait un mandat à peu près tous les mois, vous le savez? Elle s'était trompée. La somme en lettres n'était pas la même que la somme en chiffres, et je n'avais pas pu le payer. Elle en a envoyé un autre par le courrier suivant.

— Il y a combien de temps de cela?

— Environ trois mois. La porte était fermée, ce qui signifie qu'il faisait froid, donc qu'on était en hiver.

— Et le dernier appel?

— J'ai commencé par écouter, comme d'habi-tude, puis Mme Galli est entrée pour acheter des timbres.

— La conversation a été longue?

— Plus longue que d'habitude. C'est facile à contrôler.

Elle feuilleta son livre.

— Deux unités de trois minutes.

— Vous avez entendu le début. Qu'est-ce que Marcellin a dit ?

— A peu près ceci :

— *C'est toi !... C'est moi..., oui. Non, il ne s'agit pas d'argent... De l'argent, je pourrais en avoir autant que j'en voudrais...*

— Elle n'a rien dit ?

— Elle a murmuré :

» — *Tu as encore bu, Marcel.*

» Il lui a juré qu'il était presque à jeun. Il a continué :

— *Je voudrais que tu me rendes un service... Est-ce qu'il y a un gros Larousse dans la maison !*

» C'est tout ce que je sais. A ce moment-là, Mme Galli est entrée, et ce n'est pas une femme commode. Elle prétend que c'est elle qui paie les fonctionnaires avec ses impôts et parle toujours de se plaindre.

— Puisque la communication n'a duré que six minutes, il est improbable que Ginette ait eu le temps d'aller consulter un Larousse, de revenir à l'appareil et de donner une réponse à Marcellin.

— Elle lui a envoyé la réponse par télégramme. Tenez ! Je vous l'ai préparée.

Elle tendit une formule jaune sur laquelle il lut :

Mort en 1890.

C'était signé : *Ginette.*

— Cela aurait été tant pis pour vous si vous n'étiez pas monté me voir, n'est-ce pas ? Moi, je ne serais pas descendue, et vous n'auriez rien su.

— Vous avez observé la tête de Marcellin quand il a lu ce télégramme ?

— Il l'a relu deux ou trois fois, pour bien s'assurer que c'était vrai, puis il est sorti en sifflotant.

— Comme s'il avait reçu une bonne nouvelle ?

— Exactement. Et aussi, je pense, comme s'il avait soudain de l'admiration pour quelqu'un.

— Vous avez écouté, hier, la conversation de Charlot ?

— Avec Bébé ?

— Que voulez-vous dire ?

— Il l'appelle Bébé. Elle a dû arriver ce matin. Vous voulez que je vous répète ses paroles ? Il lui a dit :

» — *Ça va, Bébé ? Moi ça boulotte, merci. J'en ai encore pour quelques jours ici et j'ai envie de faire joujou. Alors arrive.*

— Et elle est arrivée, conclut Maigret. Je vous remercie, mademoiselle. Je suis sur le banc, dehors, avec mon ami, et j'attends qu'on m'appelle de Paris.

Trois quarts d'heure s'écoulèrent, à regarder jouer aux boules ; le couple de jeunes mariés vint expédier des cartes postales ; le boucher vint à son tour demander sa communication quotidienne avec Hyères. M. Pyke regardait de temps en temps le clocher de l'église. Il lui arrivait aussi d'ouvrir la bouche, peut-être pour poser une question, mais chaque fois il se ravisait.

Ils étaient envahis tous les deux par une chaleur savoureuse. Ils pouvaient voir de loin les hommes se réunir pour la grande partie de boules, celle qui groupe une dizaine de joueurs et qui se dispute à travers toute la place jusqu'à l'heure de l'apéritif et du dîner.

Le dentiste en faisait partie. Le *Cormoran* avait quitté l'île pour la pointe de Giens d'où il ramènerait l'inspecteur Lechat et Ginette.

Enfin la voix d'Aglaé l'appela à l'intérieur.

— Paris ! annonça-t-elle.

C'était le brave Lucas qui devait, comme d'habitude pendant les absences de Maigret, avoir pris possession du bureau de celui-ci. Par la fenêtre, Lucas voyait la Seine et le pont Saint-Michel, tandis que le commissaire regardait vaguement Aglaé.

— J'ai une partie des renseignements, patron. J'attends les autres d'Ostende tout à l'heure. Par qui est-ce que je commence ?

— Comme tu voudras.

— Alors, le Moricourt. Cela n'a pas été difficile. Torrence se souvenait de ce nom-là pour l'avoir vu sur la couverture d'un livre. C'est bien son vrai nom. Son père, qui était capitaine de cavalerie, est mort depuis longtemps. Sa mère vit à Saumur. Autant que j'ai pu savoir, ils n'ont aucune fortune. Plusieurs fois, Philippe de Moricourt a essayé d'épouser des héritières, mais cela n'a pas réussi.

Aglaé écoutait sans vergogne et, à travers la vitre, adressait des clins d'œil à Maigret pour souligner les passages qui lui plaisaient.

— Il se donne comme homme de lettres. Il a publié deux volumes de vers chez un éditeur de la rive gauche. Il fréquentait le *Café de Flore*, où il était assez connu. Il a aussi collaboré occasionnellement à plusieurs journaux. C'est ce que vous voulez savoir ?

— Continue.

— Je n'ai guère d'autres détails, car j'ai fait tout ça par téléphone, pour gagner du temps ; mais j'ai envoyé quelqu'un se renseigner et vous aurez de nouveaux tuyaux ce soir ou demain. Il n'y a jamais eu de plainte contre lui, ou plus exactement il y en a eu une, il y a cinq ans, mais elle a été retirée.

— J'écoute.

— Une dame, qui habite Auteuil, et dont on doit me donner le nom, lui avait confié une édition rare pour la revendre, après quoi elle est restée des mois sans entendre parler de lui. Elle a porté plainte. On a appris qu'il avait revendu le volume à un Américain. Quant à l'argent, il a promis de le rendre par mensualités. J'ai eu son ancien propriétaire au bout du fil. Moricourt était habituellement en retard de deux ou trois termes, mais il finissait par payer, par acomptes.

— C'est tout ?

— A peu près. Vous connaissez ce genre-là. Toujours bien habillé, toujours d'une correction impeccable.

— Et des vieilles dames ?

— Rien de précis. Il avait des relations dont il faisait grand mystère.

— L'autre ?

— Vous saviez qu'ils se sont connus ? Il paraît que de Greef est un type de valeur ; certains prétendent même que, s'il le voulait, il serait un des meilleurs peintres de sa génération.

— Et il ne veut pas ?

— Il finit par se disputer avec tout le monde. Il a enlevé une jeune fille belge de très bonne famille.

— Je sais.

— Bon. Quand il est arrivé à Paris, il a fait une exposition de ses œuvres dans une petite salle de la rue de Seine. Le dernier jour, comme il n'avait rien vendu, il a brûlé toutes les toiles. Certains prétendent que de véritables orgies se sont déroulées à bord de son bateau. Il a illustré plusieurs ouvrages érotiques qu'on vend sous le manteau. C'est surtout de cela qu'il a vécu. Et voilà, patron. J'attends Ostende à l'appareil. Ça va, là-bas ?

A travers la vitre, M. Pyke montrait sa montre à Maigret et, comme il était cinq heures, il s'éloigna en direction de la villa du major.

Le commissaire en fut tout guilleret, en reçut comme des bouffées de vacances.

— Tu as transmis mes félicitations à Janvier ? Téléphone à ma femme qu'elle aille voir la sienne et qu'elle porte quelque chose, un cadeau ou des fleurs. Mais pas une timbale en argent !

Il se retrouva avec Aglaé, séparé d'elle par la cloison grillagée. Elle paraissait s'amuser beaucoup. Elle avouait sans honte :

— Je serais curieuse de voir un de ses livres. Vous croyez qu'il en a à bord ?

Puis, sans transition :

— C'est drôle ! Votre métier est beaucoup plus facile qu'on ne croit. Les renseignements viennent de tous les côtés. Vous pensez que c'est un des deux, vous ?

Il y avait un gros bouquet de mimosas sur son bureau, un sac de bonbons, qu'elle tendit au commissaire.

— Il se passe si rarement quelque chose ici ! A propos de M. Philippe, je n'ai pas pensé à vous dire qu'il écrit beaucoup. Je ne lis pas ses lettres, évidemment. Il les jette dans la boîte et je reconnais son écriture et son encre, car il se sert toujours d'encre verte, j'ignore pourquoi.

— A qui écrit-il ?

— J'ai oublié les noms, mais c'est presque toujours à Paris. De temps en temps, il écrit à sa mère. Les lettres pour Paris sont beaucoup plus épaisses.

— Il reçoit beaucoup de courrier en retour ?

— Assez. Et des revues, des journaux. Tous les jours, il y a des imprimés pour lui.

— Mrs Wilcox ?

— Elle écrit beaucoup aussi, en Angleterre, à Capri, en Egypte. Je me souviens surtout de l'Egypte, parce que je me suis permis de lui demander les timbres pour mon neveu.

— Elle téléphone ?

— Cela lui est arrivé deux ou trois fois de venir téléphoner de la cabine et, chaque fois, c'était Londres qu'elle appelait. Malheureusement, je ne comprends pas l'anglais.

Elle ajouta :

— Je vais fermer. J'aurais déjà dû fermer à cinq heures. Mais, si vous voulez rester pour attendre votre communication...

— Quelle communication ?

— M. Lucas ne vous a-t-il pas dit qu'il vous rappellerait au sujet d'Ostende ?

Elle n'était probablement pas dangereuse ; pourtant Maigret préféra, ne fût-ce que pour les gens, ne pas rester trop longtemps en tête à tête avec elle. Elle avait toutes les curiosités. Elle lui demandait, par exemple :

— Vous ne téléphonez pas à votre femme ?

Il lui dit qu'il serait sur la place, non loin de l'*Arche,* pour le cas où on l'appellerait, et il descendit tranquillement, en fumant sa pipe, vers la grande partie de boules. Il n'avait plus besoin de surveiller ses attitudes, puisque M. Pyke n'était pas là pour l'observer. Il avait vraiment envie de jouer aux boules et il lui arriva plusieurs fois de demander des renseignements sur les règles du jeu.

Il fut fort étonné de constater que le dentiste, que tout le monde appelait familièrement Léon, était un *tireur* de première force. A vingt mètres, après trois pas bondissants, il atteignait de sa boule la boule de l'adversaire qu'il envoyait rouler au loin, et, chaque fois, il prenait ensuite un petit air modeste, comme s'il considérait cet exploit comme tout naturel.

Le commissaire alla boire un coup de vin blanc et trouva Charlot occupé à manœuvrer la machine à sous cependant que sa compagne, sur la banquette, était plongée dans un magazine de cinéma. Est-ce qu'ils avaient « fait joujou » ?

— Votre ami n'est pas avec vous ? s'étonnait Paul.

Pour M. Pyke aussi, ce devait être comme des vacances. Il était avec un autre Anglais. Il pouvait parler sa langue, employer des expressions qui n'avaient de sel que pour deux hommes ayant fréquenté le même collège.

Il était facile de prévoir l'arrivée du *Cormoran.* Chaque fois le même phénomène se produisait. Il y avait, dehors, comme un courant descendant. On voyait des gens passer, qui tous se dirigeaient vers le port. Puis, une fois le bateau à quai, le reflux se produisait. Les mêmes gens passaient en sens inverse, avec, en plus, les nouveaux débarqués qui portaient des valises ou des colis.

Il suivit le courant descendant, non loin du maire qui poussait son éternelle charrette à bras. Il vit tout de suite, sur le pont du bateau, Ginette et l'inspecteur, qui avaient l'air d'une paire d'amis. Il y avait aussi des pêcheurs qui revenaient de l'enterrement et deux vieilles demoiselles, des touristes pour le *Grand Hôtel*.

Dans le groupe de ceux qui assistaient au débarquement, il reconnut Charlot qui l'avait suivi et qui, comme lui, semblait accomplir un rite sans trop y croire.

— Rien de nouveau, patron ? questionna Lechat, à peine à terre. Si vous saviez comme il fait chaud, là-bas !

— Cela s'est bien passé ?

Ginette restait tout naturellement avec eux. Elle paraissait fatiguée. On lisait une certaine inquiétude dans son regard.

Ils s'acheminaient tous les trois vers l'*Arche*, et Maigret avait l'impression qu'il y avait très longtemps qu'il faisait quotidiennement ce chemin.

— Vous avez soif, Ginette ?

— Je prendrais bien un apéritif.

Ils le burent ensemble, à la terrasse, et Ginette était gênée chaque fois qu'elle sentait le regard de Maigret peser sur elle. Il la regardait rêveusement, lourdement, comme quelqu'un dont la pensée est loin.

— Je monte me rafraîchir, annonça-t-elle, son verre vidé.

— Vous permettez que je vous accompagne ?

Lechat, qui sentait du nouveau dans l'air, essayait de deviner. Il n'osait pas questionner son chef. Il resta seul à la table, tandis que celui-ci, derrière Ginette, gravissait l'escalier.

— Vous savez, dit-elle une fois dans la chambre, je veux vraiment me changer.

— Cela ne me gêne pas.

Elle feignit de plaisanter.

— Et si cela me gênait, moi ?

Elle n'en retirait pas moins son chapeau, puis sa robe, qu'il l'aida à dégrafer dans le dos.

— Cela m'a quand même fait quelque chose, soupira-t-elle. Je crois qu'il était heureux, ici.

Les autres soirs, Marcellin, à cette heure, devait participer à la partie de boules, sur la place, dans le soleil couchant.

— Tout le monde a été très gentil. On l'aimait bien.

Elle avait hâte de se débarrasser de son corset, qui avait laissé des traces profondes sur sa peau laiteuse. Maigret, le visage à la lucarne, lui tournait le dos.

— Vous vous souvenez de la question que je vous ai posée ? dit-il d'une voix neutre.

— Vous l'avez répétée assez de fois. Je n'aurais jamais cru que vous pouviez être aussi dur.

— De mon côté, je n'aurais pas cru que vous tenteriez de me cacher quelque chose.

— Je vous ai caché quelque chose, moi ?

— Je vous ai demandé pourquoi vous étiez venue ici, à Porquerolles, alors que le corps de Marcel était à Hyères ?

— Je vous ai répondu.

— Vous m'avez menti.

— Je ne sais pas ce que vous voulez dire.

— Pourquoi ne pas m'avoir parlé du coup de téléphone ?

— Quel coup de téléphone ?

— Celui que Marcellin vous a donné la veille de sa mort.

— Je ne m'en souvenais pas.

— Du télégramme non plus ?

Il n'avait pas besoin de se retourner pour connaître ses réactions et tenait son regard fixé sur la partie de boules qui se déroulait devant la terrasse d'où montait un murmure de voix. On percevait le choc des verres.

C'était très doux, très rassurant, et M. Pyke n'était pas là. Comme le silence durait, derrière lui, il questionna :

— A quoi pensez-vous ?

— Je pense que j'ai eu tort, vous le savez bien.

— Vous êtes habillée ?

— Le temps de passer ma robe.

Il alla ouvrir la porte, pour s'assurer qu'il n'y avait personne dans le couloir. Quand il revint vers le milieu de la pièce, Ginette était occupée à se recoiffer devant la glace.

— Vous n'avez pas parlé du Larousse ?

— A qui ?

— Je ne sais pas. A M. Emile, par exemple. Ou à Charlot.

— Je n'ai pas été assez sotte pour en parler.

— Parce que vous espériez remplacer Marcel ? Savez-vous, Ginette, que vous êtes terriblement intéressée ?

— C'est ce qu'on dit toujours des femmes quand elles essaient d'assurer leur avenir. Et on leur tombe dessus quand la misère leur fait faire un métier qu'elles n'ont pas choisi.

Il y avait une soudaine amertume dans sa voix.

— Je croyais que vous alliez épouser M. Emile ?

— A condition que Justine se décide à mourir et qu'au dernier moment elle ne prenne pas des dispositions qui empêchent son fils de se marier. Si vous croyez que je fais ça de gaieté de cœur !

— En somme, si le tuyau de Marcel était bon et si vous réussissiez, vous ne vous marieriez pas ?

— En tout cas pas avec ce mal blanc.

— Vous quitteriez la maison de Nice ?

— Sans hésiter, je vous jure.

— Qu'est-ce que vous feriez ?

— J'irais vivre à la campagne, n'importe où. J'élèverais des poules et des lapins.

— Qu'est-ce que Marcellin vous a dit au téléphone ?

— Vous allez encore prétendre que je mens.

Il la fixa un bon moment et laissa tomber :

— Plus maintenant.

— Bon ! ce n'est pas trop tôt. Il m'a dit qu'il avait découvert par hasard un truc extraordinaire. Ce sont les mots qu'il a employés. Il a ajouté que ça pourrait rapporter gros, mais qu'il n'était pas encore décidé.

— Il n'a fait allusion à personne ?

— Non. Je ne l'avais jamais connu si mystérieux. Il avait besoin d'un renseignement. Il m'a demandé si nous avions un gros Larousse, celui en je ne sais combien de volumes, à la maison. Je lui ai répondu que nous ne tenions pas ça. Alors il a insisté pour que j'aille à la bibliothèque municipale pour le consulter.

— Qu'est-ce qu'il voulait savoir ?

— Tant pis, n'est-ce pas ? Au point où vous en êtes, je n'ai quand même plus de chances.

— Aucune, en effet.

— Sans compter que je n'y ai rien compris. Je croyais qu'une fois ici il me viendrait une idée.

— Qui est mort en 1890 ?

— On vous a montré mon télégramme ? Il ne l'avait pas détruit ?

— La poste, comme d'habitude, en a gardé un double.

— Un certain Van Gogh, un peintre. J'ai lu qu'il s'est suicidé. Il était très pauvre et aujourd'hui on se dispute ses toiles qui valent je ne sais combien. Je me suis demandé si Marcel en avait déniché une.

— Et ce n'est pas ça ?

— Je ne crois pas. Quand il m'a téléphoné, il ne savait même pas que ce monsieur était mort.

— Qu'est-ce que vous avez pensé ?

— Je ne sais pas, je vous jure. Seulement, je me suis dit que si Marcel pouvait faire de l'argent avec ce renseignement-là, il était possible que j'en fasse aussi. Surtout quand j'ai appris qu'on l'avait tué. On ne tue pas quelqu'un pour le plaisir. Il n'avait pas d'ennemi. On ne pouvait rien lui voler. Vous comprenez ?

— Vous supposez que le crime a un rapport avec le Van Gogh en question ?

Maigret était sans ironie. Il tirait de petits coups sur sa pipe, en regardant dehors.

— Vous avez sans doute eu raison.

— Trop tard, puisque vous êtes ici et que cela ne me sert plus à rien. Est-ce que vous tenez encore à ce que je reste dans l'île ? Remarquez que, pour moi, ce sont des vacances, et, du moment que c'est vous qui me retenez, la vieille chipie ne peut rien me dire.

— Dans ce cas, restez.

— Je vous remercie. Vous redevenez presque comme quand je vous ai connu à Paris.

Il ne se donna pas la peine de lui retourner le compliment.

— Reposez-vous.

Il descendit l'escalier, passa près de Charlot qui le regarda d'un œil goguenard et alla s'asseoir à côté de Lechat, sur la terrasse.

C'était l'heure la plus savoureuse de la journée. Toute l'île se détendait, et la mer autour d'elle, et les arbres, les rochers, le sol de la place qui semblaient respirer à un autre rythme après la chaleur de la journée.

— Vous avez découvert du nouveau, patron ?

Maigret commanda d'abord une consommation à Jojo qui passait près de lui et qui avait l'air de lui en vouloir de s'être enfermé avec Ginette dans la chambre.

— Je le crains, soupira-t-il enfin.

Et, comme l'inspecteur le regardait avec surprise :

— Je veux dire que je n'en ai sans doute plus pour longtemps à rester ici. On y est bien, n'est-ce pas ? D'un autre côté, il y a M. Pyke.

Ne valait-il pas mieux, à cause de M. Pyke et de ce qu'il irait raconter à Scotland Yard, une réussite rapide ?

— On vous demande de Paris, monsieur Maigret.

C'étaient probablement les renseignements d'Ostende.

CHAPITRE

8

M. Pyke et la grand-mère.

C'ETAIT TELLEMENT dimanche que cela en devenait presque écœurant. Maigret prétendait volontiers, moitié sérieusement, moitié plaisantant, qu'il avait toujours eu la faculté de flairer les dimanches du fond de son lit, sans avoir seulement besoin d'ouvrir les yeux.

Ici, il se passait avec les cloches quelque chose d'inouï. Pourtant, ce n'étaient pas de vraies cloches d'église, mais des cloches grêles et légères comme celles des chapelles ou des couvents. Il fallait croire que la qualité, la densité de l'air n'était pas la même qu'ailleurs. On entendait fort bien le marteau frapper le bronze, ce qui donnait une petite note quelconque, mais c'était alors que le phénomène commençait : un premier anneau se dessinait dans le ciel pâle et encore frais, s'étirait, hésitant, comme un rond de fumée, devenait un cercle parfait d'où sortaient par magie d'autres cercles, toujours plus grands, toujours plus purs. Les cercles dépassaient la place, les maisons, s'étendaient par-dessus le port et bien loin sur la mer où se balançaient de petites barques. On les sentait au-dessus des collines et des rochers et ils n'avaient pas cessé d'être perceptibles que le marteau frappait à nouveau le métal et que d'autres cercles sonores naissaient pour se recréer, puis d'autres encore qu'on écoutait avec une innocente stupeur, comme on regarde un feu d'artifice.

Même dans le simple bruit des pieds sur le sol rugueux de la place il y avait quelque chose de pascal, et Maigret, en jetant un coup d'œil à la fenêtre, s'était attendu à voir des premières communiantes embarrassant leurs petites jambes dans leurs voiles.

Comme la veille, il mit ses pantoufles, son pantalon, passa son veston sur sa chemise de nuit au col brodé de rouge, descendit et, en entrant dans la cuisine, il fut déçu. Inconsciemment, il avait voulu recommencer le petit matin précédent, se retrouver près du fourneau avec Jojo qui préparait le café, avec le rectangle limpide de la porte ouverte sur le dehors. Or, il y avait là, aujourd'hui, quatre ou cinq pêcheurs. On avait dû leur servir un verre d'alcool qui parfumait violemment l'atmosphère. Sur le carreau de la pièce, un panier de poissons avait été renversé : des rascasses roses, des poissons bleus et verts dont Maigret ignorait le nom, une sorte de serpent marin tacheté de rouge et de jaune qui vivait encore et s'enroulait au pied d'une chaise.

— Vous désirez une tasse de café, monsieur Maigret ?

Ce n'était pas Jojo qui le servait, mais le patron.

Peut-être à cause du dimanche. Maigret se sentait comme un enfant frustré.

Cela lui arrivait parfois, surtout le matin, surtout quand il s'approchait du miroir pour se raser. Il regardait la face large, les gros yeux fréquemment soulignés de poches, les cheveux qui se raréfiaient. Il devenait sévère, exprès, comme pour se faire peur. Il se disait à lui-même :

— Voilà monsieur le commissaire divisionnaire !

Qui est-ce qui aurait osé ne pas le prendre au sérieux ? Des tas de gens, qui n'avaient pas la conscience tranquille, tremblaient à l'énoncé de son nom. Il avait le pouvoir de les interroger jusqu'à les faire crier d'angoisse, de les mettre en prison, de les envoyer à la guillotine.

Dans l'île même, il y avait maintenant quelqu'un qui entendait comme lui le bruit des cloches, qui respirait l'air dominical, quelqu'un qui buvait la veille au soir dans la même pièce que lui et qui, dans quelques jours, serait enfermé une fois pour toutes entre quatre murs.

Il avalait sa tasse de café, s'en versait une autre qu'il emportait dans sa chambre, et il avait peine à s'imaginer que tout cela était sérieux ; il n'y avait pas si longtemps qu'il portait des culottes courtes et qu'il traversait la place de son village, par les matins frisquets, le bout des doigts figé par l'onglée, pour aller servir la messe dans la petite église que des cierges seuls éclairaient.

A présent, il était une grande personne, tout le monde le croyait, et il n'y avait que lui, de temps en temps, à s'en convaincre difficilement.

Est-ce qu'il arrive aux autres d'avoir la même

impression ? Est-ce que M. Pyke, par exemple, se demandait parfois comment on pouvait le prendre au sérieux ? Avait-il, ne fût-ce que rarement, l'impression que tout cela n'était qu'un jeu, « de la vie pour rire » ?

Le major était-il autre chose qu'un de ces gros gamins comme il y en a dans toutes les classes, un de ces garçons obèses et endormis dont l'instituteur ne peut s'empêcher de se moquer ?

M. Pyke avait prononcé une phrase terrible, la veille au soir, un peu avant l'incident Polyte. C'était en bas, alors qu'à peu près tout le monde, comme le soir précédent, comme tous les autres soirs, était réuni à l'*Arche*. Naturellement, l'inspecteur du Yard s'était assis à la table du major et, à ce moment-là, malgré leur différence d'âge et d'embonpoint, ils avaient un air de famille.

Ils avaient dû boire, en fin d'après-midi, quand M. Pyke était allé voir son compatriote à la villa. Assez pour avoir le regard flou, la langue épaisse, mais trop peu pour perdre leur dignité. Non seulement, au collège, on leur avait enseigné les mêmes manières, mais plus tard, Dieu sait où, ils avaient appris à supporter l'alcool d'une façon identique.

Ils n'étaient pas tristes, plutôt nostalgiques, un peu lointains. Ils donnaient l'impression de deux « bon dieu » qui regardent l'agitation du monde avec une mélancolique condescendance et, alors que Maigret venait de s'asseoir près de lui, M. Pyke avait soupiré :

— *Elle est grand-mère depuis la semaine dernière.*

Il évitait de regarder celle dont il parlait, dont il évitait toujours de citer le nom, mais il ne pou-

vait être question que de Mrs Wilcox. Elle était
là, de l'autre côté de la pièce, assise sur la banquette en compagnie de Philippe. Le Hollandais
et Anna occupaient la table voisine.

M. Pyke avait laissé un certain temps s'écouler,
puis avait ajouté d'une même voix neutre :

— Sa fille et son gendre ne lui permettent pas
de mettre les pieds en Angleterre. Le major les
connaît fort bien.

Pauvre vieille ! Car, du coup, on découvrait que
Mrs Wilcox était en réalité une vieille femme. On
cessait de se moquer de ses fards, de ses cheveux
teints — dont on distinguait la racine blanche —
et de son excitation artificielle.

C'était une grand-mère, et Maigret se souvenait
qu'il avait revu la sienne en pensée ; il avait essayé d'imaginer ses réactions d'enfant si on lui
avait montré une femme comme Mrs Wilcox en
lui disant :

— Va embrasser ta grand-maman !

On lui interdisait de vivre dans son propre pays
et elle ne protestait pas. Elle savait bien qu'elle
n'aurait pas le dernier mot, que c'était elle qui
avait tort. Comme ces ivrognes, à qui on ne donne
que juste le nécessaire d'argent de poche, et qui
essayent de tricher, qui quémandent un petit
verre par-ci, par-là.

Est-ce que, comme les ivrognes aussi, il lui arrivait de s'attendrir sur son sort, de pleurer toute
seule dans son coin ?

Peut-être quand elle avait beaucoup bu ? Car
elle buvait aussi. Le Philippe, au besoin, se char-
geait de lui remplir son verre, tandis qu'Anna, sur
la même banquette, ne pensait qu'à une chose : au
moment où elle irait enfin se coucher.

Maigret se rasait. Il n'avait pu avoir accès à l'unique salle de bains, que Ginette occupait.

— Dans cinq minutes ! lui avait-elle crié à travers la porte.

Il jetait de temps en temps un coup d'œil sur la place qui n'avait pas la même couleur que les autres jours, même maintenant que les cloches s'étaient tues. Le curé était en train de dire la première messe. Celui de son village l'expédiait si vite que le jeune Maigret avait à peine le temps de lancer des répons en courant avec les burettes.

Drôle de métier que le sien ! Il n'était qu'un homme comme les autres, et il tenait le sort d'autres hommes entre ses mains.

Il les regardait tour à tour, la veille au soir. Il n'avait pas beaucoup bu, juste assez pour amplifier un tout petit peu ses sentiments. De Greef, au profil nettement dessiné, le fixait parfois avec une sourde ironie et paraissait le défier. Philippe, malgré son beau nom et ses ancêtres, était d'une pâte plus vulgaire et il s'efforçait de faire bonne figure chaque fois que Mrs Wilcox le commandait comme un domestique.

Il devait se venger à d'autres moments, bien sûr, mais il n'en était pas moins obligé d'avaler publiquement les couleuvres.

Celle qu'il avala fut de taille, au point que tout le monde en fut gêné. Le pauvre Paul, qui, heureusement, ne savait pas d'où venait le coup, eut toutes les peines du monde, après, à ramener un peu d'entrain.

Ils devaient en parler, en bas. On en parlerait dans l'île toute la journée. Est-ce que Polyte garderait le secret ? A présent, cela importait peu.

Polyte était au comptoir, sa casquette de capitaine sur la tête, et il avait déjà vidé un certain nombre de petits verres ; il parlait si fort que sa voix dominait les conversations. Sur l'ordre de Mrs Wilcox, Philippe avait traversé la salle pour mettre le phonographe en marche, comme cela lui arrivait souvent.

Alors, après un clin d'œil à Maigret, Polyte s'était dirigé à son tour vers l'appareil et l'avait arrêté.

Puis il s'était tourné vers Moricourt et l'avait regardé dans les yeux d'un air sarcastique.

Philippe, sans protester, avait feint de ne pas s'en apercevoir.

— Je n'aime pas qu'on me regarde de cette façon-là ! avait alors lancé Polyte en s'avançant de quelques pas.

— Mais... je ne vous regarde même pas...

— Vous dédaignez de me regarder ?

— Je n'ai pas dit ça.

— Vous croyez que je ne comprends pas ?

Mrs Wilcox avait murmuré quelque chose en anglais à son compagnon. M. Pyke avait froncé les sourcils.

— Je ne suis pas assez bon pour vous, peut-être, espèce de petit maquereau ?

Très rouge, Philippe ne bougeait toujours pas, s'efforçant de regarder ailleurs.

— Essayez de répéter que je ne suis pas assez bon pour vous ?

Au même moment, de Greef avait regardé Maigret, vivement, d'une façon particulièrement aiguë. Avait-il compris ? Lechat, lui, qui n'avait rien compris du tout, avait voulu se lever pour l'interposer, et Maigret avait été obligé de lui saisir le poignet sous la table.

— Qu'est-ce que vous diriez si j'abîmais votre jolie gueule, hein ? Qu'est-ce que vous diriez ?

Polyte, qui jugeait que les voies étaient suffisamment préparées, lançait alors son poing, par-dessus la table, au visage de Philippe.

Celui-ci porta la main à son nez. Mais ce fut tout. Il n'essaya ni de se défendre, ni d'attaquer à son tour. Il balbutia :

— Je ne vous ai rien fait.

Mrs Wilcox criait, tournée vers le comptoir :

— Monsieur Paul ! Monsieur Paul ! Voulez-vous jeter cet énergumène dehors ? C'est une indignité.

Son accent donnait une saveur spéciale aux mots *énergumène* et *indignité*.

— Quant à vous... commença Polyte en se tournant vers le Hollandais.

La réaction fut différente. Sans quitter sa place, de Greef se durcit, laissa tomber :

— Ça va, Polyte !

On sentait qu'il ne se laisserait pas faire, qu'il était prêt à bondir, tous muscles bandés.

Paul s'était enfin interposé.

— Calme-toi, Polyte. Viens un instant à la cuisine. J'ai à te parler.

Le capitaine se laissait emmener, en protestant pour la forme.

Lechat, qui n'avait pas encore compris, avait pourtant questionné, rêveur :

— C'est vous, patron ?

Maigret n'avait pas répondu. Il avait pris un air aussi bénin que possible quand l'inspecteur de Scotland Yard l'avait regardé dans les yeux.

Paul avait présenté des excuses, comme il se doit. On n'avait pas revu Polyte, qu'on avait fait sortir par la porte de derrière. Aujourd'hui, il prendrait des airs de héros.

Il restait que Philippe ne s'était pas défendu, que son visage, un instant, avait sué la peur, une peur physique qui prend dans le creux du ventre et qu'on ne surmonte pas.

Après cela, il avait bu exagérément, le regard sombre, et Mrs Wilcox avait fini par l'emmener.

Il ne s'était rien passé d'autre. Charlot et sa danseuse étaient montés se coucher d'assez bonne heure et, quand Maigret était monté à son tour, ils n'étaient pas encore endormis. Ginette et M. Emile avaient bavardé à mi-voix. Personne n'avait offert de tournée générale, peut-être à cause de l'incident.

— Entre, Lechat, cria le commissaire à travers la porte.

L'inspecteur était déjà prêt.

— M. Pyke est allé se baigner ?

— Il est en bas, occupé à manger ses œufs au bacon. Je suis allé au départ du *Cormoran*.

— Rien à signaler ?

— Rien. Il paraît que, le dimanche, il vient beaucoup de monde d'Hyères et de Toulon, des gens qui se précipitent vers les plages et qui y sèment des boîtes de sardines et des bouteilles vides. On les verra débarquer dans une heure.

Les renseignements d'Ostende n'avaient rien d'inattendu. M. Bebelmans, le père d'Anna, était un personnage important, qui avait été longtemps maire de la ville et qui s'était présenté une fois à la députation. Depuis le départ de sa fille, il interdisait qu'on prononçât le nom de celle-ci devant lui. Sa femme était morte, et Anna n'en avait pas été avertie.

— On dirait que tous ceux qui sont sortis des rails, pour une raison ou pour une autre, se retrouvent ici, remarqua Maigret en endossant son veston.

— C'est le climat qui veut ça ! riposta l'inspecteur, que ces questions ne troublaient pas. Je suis encore allé ce matin voir un revolver.

Il exerçait son métier en conscience. Il s'était inquiété de connaître tous les possesseurs de revolvers. Il allait les voir les uns après les autres, examinait les armes, sans trop d'espoir, simplement parce que ça fait partie de la routine.

— Qu'est-ce que nous faisons, aujourd'hui ?

Maigret, qui se dirigeait vers la porte, évitait de répondre, et ils retrouvaient M. Pyke devant la nappe à carreaux rouges.

— Je suppose que vous êtes protestant ? lui dit-il. Dans ce cas, vous n'assisterez pas à la grand-messe ?

— Je suis protestant, et je suis allé à la messe basse.

Peut-être, s'il n'y avait eu qu'une synagogue, y serait-il allé de même, pour assister à un service, quel qu'il fût, parce que c'était dimanche.

— Je ne sais pas si vous allez vouloir m'accompagner. Ce matin, je dois rendre visite à une dame que vous n'aimez pas beaucoup rencontrer.

— Vous allez à bord du yacht ?

Maigret fit oui de la tête, et M. Pyke repoussa son assiette, se leva, prit le chapeau de paille qu'il avait acheté la veille dans la boutique du maire, car il avait déjà pris un coup de soleil qui lui faisait le visage presque aussi rouge que celui du major.

— Vous m'accompagnez ?

— Vous aurez peut-être besoin d'un traducteur.

— Je viens aussi ? questionna Lechat.

— Je préfère, oui. Tu sais ramer ?

— Je suis né au bord de la mer.

Ils marchèrent jusqu'au port, une fois de plus. Ce fut l'inspecteur qui demanda à un pêcheur la permission de se servir d'une embarcation sans moteur et les trois hommes y prirent place. Ils pouvaient voir de Greef et Anna qui déjeunaient sur le pont de leur petit bateau.

La mer, elle aussi, comme en l'honneur du dimanche, s'était vêtue de satin moiré, et des perles, à chaque coup d'aviron, scintillaient dans le soleil. Le *Cormoran* était de l'autre côté de l'eau, à la pointe de Giens, à attendre les passagers qui débarqueraient de l'autobus. On voyait le fond de la mer, les oursins violets dans les creux de rochers et parfois un loup brillant qui filait en flèche. Les cloches sonnaient pour annoncer la grand-messe, et toutes les maisons devaient sentir, avec le café matinal, le parfum que les femmes mettaient sur leur belle robe.

Le *North Star* parut beaucoup plus grand, beaucoup plus haut quand on fut contre son bord et, comme personne ne bougeait, Lechat appela en levant la tête :

— Hello, du bateau !

Après un bon moment, un matelot se pencha par-dessus le bastingage, une joue couverte de savon mousseux, un rasoir ouvert à la main.

— On peut voir votre patronne ?

— Vous ne pourriez pas revenir dans une heure ou deux ?

M. Pyke était visiblement gêné. Maigret hésita un petit peu en pensant à la « grand-mère ».

— Nous attendrons sur le pont s'il le faut, dit-il au marin. Monte, Lechat.

Ils gravirent l'échelle l'un derrière l'autre. Il y avait des hublots cerclés de cuivre dans le roof, et Maigret aperçut un visage de femme qui s'y collait un instant, puis qui disparaissait dans la pénombre.

L'instant d'après, l'écoutille s'ouvrait, la tête de Philippe surgissait, les cheveux non peignés, les yeux encore bouffis de sommeil.

— Qu'est-ce que vous voulez ? questionna-t-il, maussade.

— Parler à Mrs Wilcox.

— Elle n'est pas levée.

— C'est faux. Je viens de la voir.

Philippe portait un pyjama en soie, à raies bleues. Il y avait quelques marches à descendre pour pénétrer dans la cabine, et Maigret, lourd et buté, n'attendait pas d'être invité.

— Vous permettez ?

C'était un curieux mélange de luxe et de désordre, de raffinement et de sordide. Le pont était briqué minutieusement et tous les cuivres étincelaient, les manœuvres étaient lovées avec soin, le poste de commandement, avec son compas et ses instruments de bord, était aussi poli qu'une cuisine hollandaise.

Dès qu'on descendait les marches, on se trouvait dans une cabine aux cloisons d'acajou, avec une table fixée au sol, deux banquettes recouvertes de cuir rouge, mais des bouteilles et des verres traînaient sur la table, il y avait des tranches de pain, une boîte de sardines entamée, des cartes à jouer ; il régnait une odeur écœurante, mélange d'alcool et de relents de lit.

On avait dû fermer en hâte la porte de la cabine voisine qui servait de chambre, et Mrs Wilcox, dans sa fuite, avait abandonné sur le plancher une pantoufle en satin.

— Je vous demande pardon de vous déranger, dit poliment Maigret à Philippe. Vous étiez probablement occupé à déjeuner ?

Il regardait sans ironie les bouteilles de bière anglaise qui étaient à moitié vides, une tranche de pain dans laquelle on avait mordu, un morceau de beurre dans du papier.

— C'est une perquisition ? questionna le jeune homme en se passant la main dans les cheveux.

— Ce sera ce que vous voudrez que ce soit. Jusqu'à présent, dans mon esprit, c'est une simple visite.

— A cette heure-ci ?

— A cette heure-ci, il y a des gens qui sont déjà fatigués !

— Mrs Wilcox a l'habitude de se lever tard.

On entendait des bruits d'eau de l'autre côté de la porte. Philippe aurait bien voulu aller se mettre en tenue plus décente, mais il lui aurait fallu découvrir le désordre trop intime de la seconde cabine. Il n'avait pas de robe de chambre sous la main. Son pyjama était fripé. Il but machinalement une gorgée de bière. Lechat était resté sur le pont, selon les instructions du commissaire, et devait s'occuper des deux matelots.

Ceux-ci n'étaient pas des Anglais, comme on aurait pu le supposer, mais des Niçois, sans doute d'origine italienne, à en juger par leur accent.

— Vous pouvez vous asseoir, monsieur Pyke, dit Maigret, comme Philippe oubliait de les y inviter.

La grand-mère de Maigret allait toujours à la première messe, à six heures du matin, et, quand on se levait, on la trouvait en robe de soie noire, un bonnet blanc sur la tête, le feu flambait dans la cheminée, le déjeuner était servi sur une nappe amidonnée.

Des vieilles, ici, avaient assisté à la première messe et d'autres, maintenant, traversaient la place en diagonale en se dirigeant vers la porte ouverte de l'église qui sentait l'encens.

Mrs Wilcox, elle, avait déjà bu de la bière et, le matin, on devait voir davantage la racine blanche de ses cheveux teints. Elle allait et venait de l'autre côté de la cloison, sans pouvoir être d'aucune aide à son secrétaire.

Celui-ci, la joue légèrement tuméfiée, là où Polyte avait, la veille, frappé de son poing, ressemblait, dans son pyjama rayé, à un écolier boudeur. Car, de même que, dans toutes les classes, il y a le gros garçon qui a l'air d'une boule de gomme, de même y a-t-il invariablement l'élève qui passe les récréations à faire la tête en silence dans son coin et dont ses camarades disent :

— C'est un cafard !

Sur les cloisons, des gravures étaient accrochées, mais le commissaire était incapable de juger de leur qualité. Certaines étaient assez lestes, sans dépasser les limites permises par le bon goût.

Ils avaient un peu l'air, M. Pyke et lui, de se trouver dans une salle d'attente, et l'Anglais tenait son chapeau de paille sur ses genoux.

Maigret finit par allumer sa pipe.

— Quel âge a votre mère, monsieur de Moricourt ?

— Pourquoi me demandez-vous ça ?

— Pour rien. Si j'en juge d'après votre âge, elle doit avoir une cinquantaine d'années ?

— Quarante-cinq. Elle m'a eu très jeune. Elle s'est mariée à seize ans.

— Mrs Wilcox est son aînée, n'est-ce pas ?

M. Pyke baissa la tête. On aurait pu croire que le commissaire le faisait exprès d'épaissir la gêne qui régnait. Lechat était plus à son aise, dehors, assis sur le bastingage, à bavarder avec un des deux matelots qui se curait les ongles dans le soleil.

Enfin il y eut du bruit contre la porte et celle-ci s'ouvrit, Mrs Wilcox parut, la referma vivement derrière elle pour ne pas laisser voir le désordre.

Elle avait eu le temps de s'habiller, de faire toilette, mais ses traits, sous le fard épais, restaient bouffis, ses yeux inquiets.

Elle devait être pitoyable, le matin, quand elle soignait sa gueule de bois d'une bouteille de bière forte.

« Grand-mère... » pensait Maigret malgré lui.

Il se levait, saluait, présentait son compagnon.

— Vous connaissez peut-être M. Pyke ? C'est un de vos compatriotes, qui fait partie de Scotland Yard. Il n'est pas ici en mission. Je m'excuse de vous déranger de si bonne heure, Mrs Wilcox.

Elle restait malgré tout femme du monde et un coup d'œil suffit à faire comprendre à Philippe que sa tenue était indécente.

— Vous permettez que j'aille m'habiller ? mur-

mura celui-ci avec un mauvais regard au commissaire.

— Vous vous sentirez peut-être plus à votre
aise.

— Asseyez-vous, messieurs. Est-ce que je puis
vous offrir quelque chose ?

Elle aperçut la pipe que Maigret laissait étein-
dre.

— Continuez à fumer, je vous en prie. D'ailleurs je vais moi-même allumer une cigarette.

Elle parvint à sourire.

— Vous excuserez le désordre qui règne ici,
mais un yacht n'est pas une maison et l'espace
y est compté.

Que pensait M. Pyke à ce moment précis ?
Que son collègue français était une brute, ou un
goujat ?

C'était fort possible. Maigret n'était d'ailleurs
pas plus fier que ça du travail qu'il avait à accomplir.

— Je crois que vous connaissez Jef de Greef,
Mrs Wilcox ?

— C'est un garçon de valeur, et Anna est gentille. Ils sont venus à bord plusieurs fois.

— On dit que c'est un peintre de talent.

— Je le crois. J'ai eu l'occasion de lui acheter
une toile et je vous l'aurais volontiers montrée
si je ne l'avais envoyée à ma villa de Fiesole.

— Vous avez une villa en Italie ?

— Oh ! c'est une bien modeste villa. Mais elle
est magnifiquement située, sur la colline, et, des
fenêtres, on découvre tout le panorama de Florence. Vous connaissez Florence, monsieur le
commissaire ?

— Je n'ai pas ce plaisir.

— J'y vis une partie de l'année. C'est là que j'envoie tout ce qu'il m'arrive d'acheter au cours de mes vagabondages.

Elle croyait avoir trouvé un terrain stable.

— Vous ne voulez vraiment pas boire quelque chose ?

Elle-même avait soif, louchait vers la bière qu'elle n'avait pas eu le temps de finir tout à l'heure, n'osait pas boire seule.

— Vous ne voulez pas essayer de cette bière que je fais venir directement d'Angleterre ?

Il dit oui, pour lui faire plaisir. Elle alla chercher des bouteilles dans un placard aménagé en glacière. La plupart des cloisons de la cabine étaient en réalité des armoires, de même que les banquettes cachaient des coffres.

— Vous achetez beaucoup de choses, en voyage, n'est-ce pas ?

Elle rit.

— Qui est-ce qui vous l'a dit ? J'achète pour le plaisir d'acheter, c'est vrai. A Istamboul, par exemple, je me laisse toujours tenter par les marchands du bazar. Je reviens à bord avec des horreurs. Sur place, cela me paraît beau. Puis, quand j'arrive à la villa et que je trouve ces choses...

— Vous avez rencontré Jef de Greef à Paris ?

— Non. Seulement ici, il n'y a pas longtemps.

— Et votre secrétaire ?

— Il y a déjà deux ans qu'il est avec moi. C'est un garçon très cultivé. Nous nous sommes connus à Cannes.

— Il travaillait ?

— Il faisait un reportage pour un journal de Paris.

Moricourt devait avoir l'oreille collée à la cloison.

— Vous connaissez parfaitement le français, Mrs Wilcox.

— J'ai fait une partie de mes études à Paris. Ma gouvernante était française.

— Marcellin est venu souvent à bord ?

— Certainement. Je crois que presque tout le monde, dans l'île, est venu à bord.

— Vous vous souvenez de la nuit où il est mort ?

— Je crois.

Il regarda ses mains, qui ne tremblaient pas.

— Il avait beaucoup parlé de moi, ce soir-là.

— C'est ce qu'on m'a dit. Je ne savais pas qui vous étiez. J'ai demandé à Philippe.

— Et M. de Moricourt savait ?

— Il paraît que vous êtes célèbre.

— Lorsque vous avez quitté l'*Arche de Noé*...

— Je vous écoute.

— Est-ce que Marcellin était déjà parti ?

— Je ne pourrais pas vous dire. Ce que je sais, c'est que nous avons gagné le port en rasant les maisons, tellement le mistral était fort. J'ai même eu peur que nous ne parvenions pas à rejoindre le bord.

— Vous vous êtes embarqués tout de suite, M. de Moricourt et vous ?

— Tout de suite. Qu'est-ce que nous aurions fait ? Cela me rappelle que Marcellin est venu avec nous jusqu'au youyou.

— Vous n'avez rencontré personne ?

— Il ne devait y avoir personne dehors par ce temps-là.

— De Greff et Anna étaient rentrés à leur bord ?

— C'est possible. Je ne sais plus. Attendez...

Alors Maigret eut la stupeur d'entendre la voix précise de M. Pyke qui, pour la première fois, se permettait d'intervenir dans son enquête. L'homme du Yard disait posément, mais sans paraître y attacher d'importance :

— Chez nous, Mrs Wilcox, nous serions tenus de vous rappeler que toute parole prononcée peut être invoquée contre vous.

Elle le regarda, stupéfaite, regarda Maigret, et il y eut comme de l'affolement dans ses yeux.

— C'est un interrogatoire ? questionna-t-elle. Mais... dites-moi, monsieur le commissaire... Je suppose que vous ne nous soupçonnez pas, Philippe et moi, d'avoir tué cet homme ?

Maigret garda un moment le silence, examina sa pipe avec attention.

— Je ne soupçonne personne a priori, Mrs Wilcox. Pourtant, ceci est bien un interrogatoire et vous avez le droit de ne pas me répondre.

— Pourquoi ne vous répondrais-je pas ? Nous sommes rentrés tout de suite. Même que nous avons embarqué de l'eau dans le youyou et qu'il a fallu nous cramponner à l'échelle pour monter à bord.

— Philippe n'est pas reparti ?

Il y eut une hésitation dans ses yeux. La présence de son compatriote la gênait.

— Nous nous sommes couchés aussitôt et il n'aurait pas pu quitter le bord sans que je l'entende.

Philippe choisit ce moment-là pour faire son apparition, en pantalon de flanelle blanche, les cheveux gominés, une cigarette qu'il venait d'allumer aux lèvres. Il voulait se montrer brave. Il s'adressa directement à Maigret.

— Vous avez des questions à me poser, monsieur le commissaire ?

Celui-ci feignit de l'ignorer.

— Vous achetez souvent de la peinture, madame ?

— Assez souvent. C'est une de mes marottes. Sans posséder ce qu'on appelle une galerie de tableaux, j'en ai d'assez bons.

— A Fiesole ?

— A Fiesole, oui.

— Des maîtres italiens ?

— Je ne vais pas jusque-là. Je suis plus modeste et me contente de tableaux assez modernes.

— Des Cézanne ou des Renoir, par exemple ?

— J'ai un petit Renoir ravissant.

— Degas, Manet, Monnet ?

— Un dessin de Degas, une danseuse.

— Van Gogh ?

Maigret ne la regardait pas, mais fixait Philippe, qui parut avaler sa salive et dont le regard devint d'une immobilité totale.

— Je viens justement d'acheter un Van Gogh.

— Il y a combien de temps ?

— Quelques jours. Quel jour sommes-nous allés à Hyères pour l'expédier, Philippe ?

— Je ne me souviens pas exactement, répondit celui-ci d'une voix incolore.

Maigret les aida.

— N'était-ce pas la veille ou l'avant-veille de la mort de Marcellin ?

— L'avant-veille, dit-elle. Je me le rappelle.

— Vous avez trouvé ce tableau ici ?

Elle ne prit pas le temps de réfléchir et, l'instant d'après, elle s'en mordit les lèvres.

— C'est Philippe, commença-t-elle, qui, par un ami...

Elle comprit, au silence des trois hommes, les regarda tour à tour, s'écria :

— Qu'est-ce que c'est, Philippe.

Elle s'était levée d'une détente, marchait vers le commissaire.

— Vous ne voulez pas dire ?... Expliquez-vous ! Mais parlez ! Pourquoi ne dites-vous plus rien ? Philippe ! Qu'est-ce que... ?

Celui-ci ne bronchait toujours pas.

— Je m'excuse, madame, d'emmener votre secrétaire.

— Vous l'arrêtez ? Puisque je vous dis qu'il était ici, qu'il ne m'a pas quittée de la nuit, que...

Elle regarda la porte de la cabine qui servait de chambre à coucher et on la sentait sur le point de l'ouvrir, de montrer le grand lit, de s'écrier :

« Comment aurait-il pu s'en aller sans que je le sache ? »

Maigret et M. Pyke s'étaient levés aussi.

— Voulez-vous me suivre, monsieur de Moricourt ?

— Vous avez un mandat ?

— J'en demanderai un au juge d'instruction si vous l'exigez, mais je ne crois pas que ce sera le cas.

— Vous m'arrêtez ?

— Pas encore.

— Où me conduisez-vous ?

— Quelque part où nous puissions avoir une conversation tranquille. Vous ne pensez pas que c'est préférable ?

— Dites-moi, Philippe... commença Mrs Wilcox.

Elle se mit sans s'en rendre compte à lui parler en anglais. Philippe n'écoutait pas, ne la regardait pas, ne se préoccupait plus d'elle. En montant sur le pont, il n'eut pas un regard d'adieu.

— Cela ne vous avancera pas à grand-chose, disait-il à Maigret.

— C'est fort possible.

— Vous allez peut-être me passer les menottes ?

C'était toujours dimanche, et le *Cormoran*, amarré à la jetée, déversait ses passagers en tenue claire. Déjà des touristes, perchés sur des rochers, pêchaient à la ligne.

M. Pyke resta le dernier dans la cabine et, quand il prit place dans le youyou, il était très rouge. Lechat, tout surpris d'avoir un passager de plus, ne savait que dire.

Maigret, assis à l'arrière, laissait tremper sa main gauche dans l'eau, comme il le faisait quand il était petit et que son père l'emmenait en barque sur l'étang.

Les cloches faisaient toujours des ronds dans le ciel.

CHAPITRE

9

Les mauvais élèves de Maigret.

O N S'ARRETA EN
face de l'épicerie pour demander la clef du maire.
Il était occupé à servir des clients et il cria quelque
chose à sa femme, qui était petite et pâle, avec un
chignon serré sur la nuque. Elle chercha longtemps. Pendant tout ce temps-là. Philippe resta à
attendre, entre Maigret et M. Pyke, le front têtu,
l'air boudeur, et cela ressemblait plus que jamais
à une scène d'école, avec l'élève puni et le lourd,
l'implacable proviseur.

On n'aurait jamais pensé que tant de gens puis-
sent sortir du *Cormoran*. Il est vrai que d'autres
bateaux avaient fait la traversée ce matin-là. Jusqu'à ce que les touristes aient eu le temps de se
canaliser vers les plages, la place donnait l'impression d'une invasion.

On apercevait Anna, dans la pénombre de la
Coopérative, avec son filet à provisions, vêtue de
son paréo, tandis que de Greef était assis avec
Charlot à la terrasse de l'*Arche*.

Ces deux-là avaient vu passer Philippe entre les policiers. Ils les avaient suivis des yeux. Ils étaient libres, eux, avec un guéridon devant eux et une bouteille de vin frais sur le guéridon.

Maigret avait dit quelques mots à voix basse à Lechat qui était resté en arrière.

La femme du maire apportait enfin la clef et, quelques instants plus tard, Maigret poussait la porte de la mairie dont, à cause de l'odeur de poussière et de moisissure, il ouvrait immédiatement la fenêtre.

— Asseyez-vous, Moricourt.

— C'est un ordre ?

— Exactement.

Il poussait vers lui une de ces chaises pliantes qui servaient aux fêtes du 14 Juillet. On aurait dit que M. Pyke avait compris que, dans ces circonstances-là, le commissaire n'aimait pas voir les gens debout, car il déployait une chaise à son tour et allait s'installer dans un coin.

— Je suppose que vous n'avez rien à me dire ?

— Je suis en état d'arrestation ?

— Oui.

— Je n'ai pas tué Marcellin.

— Ensuite.

— Rien. Je ne dirai rien de plus. Vous pourrez me questionner autant qu'il vous plaira et employer tous les répugnants moyens dont vous disposez pour faire parler les gens, je ne dirai rien.

Comme un gamin vicieux ! Peut-être à cause de ses impressions du matin, Maigret ne parvenait pas à le prendre au sérieux, à se mettre dans la tête qu'il avait affaire à un homme.

Le commissaire ne s'asseyait pas. Il allait et venait, sans but, touchait un drapeau roulé ou le buste de la République, se campait un moment devant la fenêtre et voyait des petites filles en blanc traverser la place sous la garde de deux bonnes sœurs en cornette. Il ne s'était pas tellement trompé tout à l'heure en évoquant une première communion.

Les gens de l'île, ce matin-là, portaient des pantalons propres, en toile, d'un bleu qui devenait profond, somptueux, dans le soleil de la place, et les chemises blanches étaient éclatantes. On commençait déjà à jouer aux boules. M. Emile se dirigeait à pas menus vers le bureau de poste.

— Je suppose que vous vous rendez compte que vous êtes une petite crapule ?

Maigret, énorme, tout près de Philippe, le regardait de haut en bas, et le jeune homme, d'instinct, levait les mains pour se protéger le visage.

— Je dis bien une petite crapule, une crapule qui a peur, qui est lâche. Il y a des gens qui cambriolent les appartements et ils courent un risque. D'autres ne s'en prennent qu'à des vieilles femmes, leur chipent des livres rares qu'ils vont revendre et, quand ils sont pincés, se mettent à pleurer, à demander pardon et à parler de leur pauvre mère.

On aurait dit que M. Pyke se faisait aussi petit, aussi immobile que possible pour ne gêner en rien son collègue. On ne l'entendait même pas respirer, mais les bruits de l'île pénétraient par la fenêtre ouverte et se mêlaient étrangement à la voix du commissaire.

— Qui est-ce qui a eu l'idée des faux tableaux ?

— Je ne répondrai qu'en présence d'un avocat.

— De sorte que c'est votre malheureuse mère

qui devra se saigner pour vous payer un avocat en renom ! Car il vous faudra un avocat en renom, n'est-ce pas ? Vous êtes un répugnant personnage, Moricourt !

Il marchait les mains dans le dos, plus proviseur que jamais.

— A l'école, nous avions un condisciple qui vous ressemblait. Comme vous, c'était un cafard. De temps en temps, il avait besoin d'une correction et, quand nous la lui donnions, notre instituteur avait soin de tourner le dos ou de quitter la cour. Vous en avez reçu une hier au soir et vous n'avez pas bronché, vous êtes resté, blême et tremblant, à votre place, à côté de la vieille femme qui vous fait vivre. C'est moi qui avais demandé à Polyte de vous flanquer une volée, parce que j'avais besoin de connaître vos réactions, parce que je n'étais pas encore sûr.

— Vous comptez me frapper à nouveau ?

Il essayait de crâner, mais on le sentait transi de peur.

— Il existe plusieurs sortes de crapules, Moricourt, et, par malheur, il y en a qu'on n'arrive jamais à envoyer au bagne. Je vous dis tout de suite que je ferai ce qui est en mon pouvoir pour que vous y alliez.

Dix fois, il revint vers le jeune homme assis et, chaque fois, celui-ci avait un geste instinctif pour se protéger la figure.

— Avoue que l'idée des tableaux est de toi.

— Vous avez le droit de me tutoyer ?

— Il faudra bien que tu finisses par avouer, devrais-je y passer trois jours et trois nuits. J'en ai connu un plus fort que toi. Il crânait, lui aussi, en arrivant au quai des Orfèvres. Il était bien

habillé, comme toi. Cela a été long. Nous étions
cinq ou six à nous relayer. Après trente-six heures, sais-tu ce qui lui est arrivé ? Sais-tu comment nous avons appris qu'il flanchait enfin ? Par
l'odeur ! Une odeur aussi nauséabonde que lui !
Il venait de tout lâcher dans son pantalon.

Il regarda le beau pantalon blanc de Moricourt,
lui ordonna à brûle-pourpoint :

— Enlève ta cravate.

— Pourquoi ?

— Tu veux que je le fasse moi-même ? Bon !
Maintenant, délace tes chaussures. Retire les lacets. Tu verras que, dans quelques heures, tu
commenceras à avoir l'air d'un coupable.

— Vous n'avez pas le droit...

— Je le prends ! Tu t'es demandé comment
pomper plus d'argent à la vieille folle à qui tu
t'es accroché. Ton avocat plaidera sans doute
qu'il est immoral de laisser des fortunes entre
les mains de femmes comme elle et prétendra
que c'est une tentation irrésistible. Cela ne nous
regarde pas pour l'instant. Ça, c'est pour les jurés. Puisqu'elle achetait des tableaux et qu'elle
n'y connaissait rien, tu t'es dit qu'il y avait gros à
gagner là-dessus et tu t'es abouché avec de
Greef. Je me demande si ce n'est pas toi qui l'as
fait venir à Porquerolles.

— De Greef est un petit saint, n'est-ce pas ?

— Un autre genre de crapule. Combien de
faux a-t-il faits pour ta vieille Madame ?

— Je vous ai prévenu que je ne dirai rien.

— Le Van Gogh ne devait pas être le premier.
Seulement, il se fait que, celui-là, quelqu'un l'a
aperçu alors que, sans doute, il n'était pas tout à
fait fini. Marcellin traînait un peu partout. Il

grimpait aussi bien à bord du yacht de Greef qu'à bord du *North Star*. Je suppose qu'il a surpris le Hollandais en train de signer une toile d'un nom qui n'était pas le sien. Puis il a vu ce même tableau chez Mrs Wilcox et ça l'a turlupiné. Il a mis un certain temps à comprendre la combine. Il n'était pas sûr. Il n'avait jamais entendu parler de Van Gogh et il a téléphoné à une amie pour se renseigner.

Philippe regardait fixement le plancher, l'air grognon.

— Je ne prétends pas que c'est toi qui l'as tué.

— Je ne l'ai pas tué.

— Probablement es-tu trop lâche pour ce travail-là. Marcellin s'est dit que, puisque vous étiez deux à gagner gros sur le dos de la vieille, il n'y avait pas de raison qu'il n'y en eût pas un troisième. Il vous l'a fait comprendre. Vous n'avez pas marché. Alors, histoire de mettre les points sur les *i*, il s'est mis à parler de son ami Maigret. Combien Marcellin demandait-il ?

— Je ne répondrai pas.

— J'ai tout le temps. Cette nuit-là, Marcellin a été tué.

— J'ai un alibi.

— En effet, à l'heure de sa mort, tu étais dans le lit de la grand-mère.

On sentait, jusque dans la petite pièce de la mairie, l'odeur des apéritifs qu'on servait à la terrasse de l'*Arche*. De Greef devait toujours s'y trouver. Sans doute Anna l'avait-elle rejoint avec ses provisions ? Lechat, à une table voisine, le surveillait, l'empêcherait au besoin de s'éloigner.

Quant à Charlot, il avait sûrement compris, maintenant, que, de toute façon, il arrivait trop tard. C'en était encore un qui avait espéré prélever sa part !

— Tu comptes parler, Philippe ?

— Non.

— Remarque que je n'essaie pas de te le faire à la chansonnette. Je ne te raconte pas que nous avons des preuves, que de Greef a mangé le morceau. Tu finiras par parler, parce que tu es lâche, parce que tu es venimeux. Donne-moi tes cigarettes.

Maigret prit le paquet que le jeune homme lui tendait et le jeta par la fenêtre.

— Je puis vous demander un service, monsieur Pyke ? Voulez-vous aller demander à Lechat, qui se trouve à la terrasse de l'*Arche*, qu'il amène le Hollandais ? Sans la jeune femme. J'aimerais aussi que Jojo nous apporte quelques bouteilles de bière.

Comme par scrupule, il ne prononça pas un mot pendant l'absence de son collègue. Il allait et venait toujours, les mains derrière le dos, et la vie du dimanche continuait de l'autre côté de la fenêtre.

— Entrez, de Greef. Si vous aviez une cravate, je vous dirais de l'enlever, ainsi que vos lacets de bottines.

— Je suis en état d'arrestation ?

Maigret se contenta de faire signe que oui.

— Asseyez-vous. Pas trop près de votre ami Philippe. Donnez-moi vos cigarettes et jetez celle que vous avez au bec.

— Vous avez un mandat ?

— Je vais m'en faire envoyer un par télégraphe, à vos deux noms, afin qu'il n'y ait plus de doute à ce sujet.

Il s'assit à la place que le maire devait occuper lors des mariages.

— L'un de vous deux a tué Marcellin. A vrai dire, peu importe lequel, car vous êtes aussi coupables l'un que l'autre.

Jojo entrait, avec un plateau couvert de bouteilles et de verres, restait interdite devant les deux jeunes gens.

— N'ayez pas peur, Jojo. Ce ne sont que de sales petits assassins. N'en parlez pas tout de suite dehors, afin que nous n'ayons pas toute la population devant la fenêtre, et les touristes du dimanche, par surcroît.

Maigret prenait son temps, regardait les jeunes gens tour à tour. Le Hollandais était beaucoup plus calme et il n'y avait chez lui aucune trace de forfanterie.

— Peut-être ferais-je mieux de vous laisser régler ça tous les deux ? Car, en définitive, c'est l'un de vous deux que cela regarde. Il y en a un, en effet, qui y laissera probablement sa tête, ou qui ira au bagne pour le restant de ses jours, tandis que l'autre s'en tirera avec quelques années de prison. Lequel ?

Déjà le cafard s'agitait sur sa chaise et l'on aurait pu penser qu'il allait lever le doigt, comme à l'école.

— La loi ne peut malheureusement pas tenir compte des véritables responsabilités. Pour ma part, je vous mettrais volontiers dans le même sac, avec la différence, pourtant, que j'aurais un petit rien de sympathie pour de Greef.

Philippe s'agitait toujours mal à l'aise, visiblement mécontent.

— Avouez, de Greef, que vous n'avez pas fait

ça uniquement pour l'argent ! Vous ne voulez pas répondre non plus ? Comme il vous plaira. Je parie qu'il y a longtemps que vous vous amusez à brosser de faux tableaux, pour vous prouver que vous n'êtes pas un peintre du dimanche, un barbouilleur de rien du tout. Vous en avez vendu beaucoup ?

» Peu importe ! Quelle vengeance sur les gens qui ne vous comprennent pas si vous aviez vu une de vos œuvres, signée d'un nom illustre, accrochée à la cimaise du Louvre ou d'un musée d'Amsterdam !

» Nous verrons vos dernières œuvres. Nous les ferons venir de Fiesole. Aux assises, messieurs les experts en discuteront. Vous allez vivre de belles heures, de Greef ! »

C'était presque amusant de voir la mine à la fois dégoûtée et vexée de Philippe pendant ce discours. Tous les deux faisaient plus que jamais penser à des gamins. Philippe était jaloux des paroles que Maigret adressait à son condisciple et devait se retenir de protester.

— Avouez, monsieur de Greef, que vous n'êtes pas fâché que ça craque !

Jusqu'à ce « monsieur » qui blessait Moricourt au plus profond de lui-même.

— Quand on est tout seul à savoir, cela finit par ne plus être drôle. Vous n'aimez pas la vie, monsieur de Greef.

— Ni la vôtre, ni celle qu'on aurait voulu me faire.

— Vous n'aimez rien.

— Je ne m'aime pas.

— Vous n'aimez pas non plus cette petite fille que vous n'avez enlevée que par défi, pour faire enrager ses parents. Depuis combien de temps avez-vous envie de tuer un de vos semblables ? Je ne dis pas par nécessité, pour gagner de l'argent ou, supprimer un témoin gênant. Je parle de tuer pour tuer, pour voir comment cela se passe, quelles impressions on ressent. Et même de frapper ensuite le cadavre avec un marteau pour se prouver qu'on a les nerfs solides.

Un mince sourire étirait les lèvres du Hollandais que Philippe regardait à la dérobée, sans comprendre.

— Voulez-vous maintenant que je vous prédise à tous les deux ce qui va arriver ? Vous êtes décidés à vous taire, l'un comme l'autre. Vous êtes persuadés qu'il n'existe pas de preuves contre vous. Il n'y a pas eu de témoin de la mort de Marcellin. Personne dans l'île, n'a entendu le coup de feu, à cause du mistral. On n'a pas retrouvé l'arme, qui est probablement en sûreté au fond de la mer. Je ne me suis pas donné la peine de faire des recherches. Les empreintes digitales ne donneront pas davantage. L'instruction sera longue. Le juge vous interrogera patiemment, s'informera de vos antécédents, et les journaux parleront beaucoup de vous. On ne manquera pas de souligner que vous êtes l'un comme l'autre de bonne famille.

» Vos amis de Montparnasse, de Greef, souligneront que vous avez du talent. On vous représentera comme un être fantasque, incompris.

» On parlera aussi des deux petits volumes de vers que Moricourt a publiés. »

A croire que celui-ci était tout heureux de se voir enfin décerner un bon point !

— Les journalistes iront interviewer le juge du

tribunal à Groningen, Mme de Moricourt à Saumur. On se moquera, dans les petits journaux, de Mrs Wilcox, et sans doute son ambassade fera-t-elle des démarches pour que son nom soit prononcé le moins possible.

Il but d'un trait la moitié d'un verre de bière et alla s'asseoir sur l'appui de la fenêtre, le dos tourné à la place ensoleillée.

— De Greef continuera à se taire, parce que c'est dans son tempérament, parce qu'il n'a pas peur.

— Et je parlerai ? ricana Philippe.

— Tu parleras. Parce que tu as une tête de cafard, parce que, pour tout le monde, tu seras le personnage répugnant, parce que tu voudras tirer ton épingle du jeu, parce que tu es lâche et parce que tu seras persuadé qu'en parlant tu sauveras ta précieuse peau.

De Greef se tourna vers son camarade, un sourire indéfinissable aux lèvres.

— Tu parleras probablement dès demain, quand tu trouveras, dans un vrai local de police, quelques gaillards qui te questionneront avec leurs poings. Tu n'aimes pas les coups, Philippe.

— On n'en a pas le droit.

— On n'a pas le droit non plus d'escroquer une pauvre femme qui ne sait plus ce qu'elle fait.

— Ou qui le sait trop bien. C'est parce qu'elle a de l'argent que vous prenez sa défense.

Maigret n'eut pas besoin de s'approcher de lui pour qu'il levât à nouveau les deux bras.

— Tu parleras surtout quand tu verras que de Greef a plus de chances que toi de s'en tirer.

— Il était dans l'île.

— Il avait un alibi, lui aussi. Si tu étais avec la vieille, il était avec Anna...

— Anna dira...

— Dira quoi ?

— Rien.

Le déjeuner avait commencé à l'*Arche*. Jojo n'avait pas dû se taire tout à fait, ou alors les gens flairaient quelque chose, car on voyait de temps en temps des silhouettes rôder autour de la mairie.

Tout à l'heure, ce serait la foule.

— J'ai bonne envie de vous laisser tous les deux. Qu'est-ce que vous en pensez, monsieur Pyke ? Avec quelqu'un pour les surveiller, évidemment, car autrement nous risquerions de les retrouver en petits morceaux. Tu restes, Lechat ?

Celui-ci alla s'installer, les deux coudes sur la table, et, faute d'apéritif ou de vin blanc, se versa un verre de bière.

Maigret et son collègue britannique retrouvèrent, dehors, le soleil qui était au plus chaud, firent quelques pas sans rien dire.

— Vous êtes déçu, monsieur Pyke ? questionna enfin le commissaire avec un petit regard en coin.

— Pourquoi ?

— Je ne sais pas. Vous êtes venu en France pour connaître nos méthodes et vous constatez qu'il n'y en a pas. Moricourt parlera. J'aurais pu le faire parler tout de suite.

— En employant la méthode que vous avez dite ?

— Celle-là ou une autre. Qu'il parle ou non, cela n'a d'ailleurs pas d'importance. Il se rétractera. Il avouera à nouveau, se rétractera encore. Vous verrez qu'on entretiendra le doute dans l'esprit des jurés. Les deux avocats se disputeront

184

comme chien et chat, chacun blanchissant son client, chacun faisant porter toute la responsabilité sur le client de son confrère.

Ils n'avaient pas besoin de se hisser sur la pointe des pieds pour voir, par la fenêtre de la mairie, les deux jeunes gens assis sur leur chaise. A la terrasse de l'*Arche,* Charlot déjeunait, son amie à sa droite, à sa gauche Ginette, qui semblait expliquer de loin au commissaire qu'elle n'avait pas pu refuser son invitation.

— C'est plus agréable d'avoir affaire à des professionnels.

C'était peut-être à Charlot qu'il pensait.

— Mais ce sont rarement ceux-là qui tuent. Les vrais crimes naissent un peu par hasard. Ces gamins-là ont commencé par jouer, sans essayer de savoir où cela les conduisait. Ça avait presque l'air d'une bonne farce. Refiler à une vieille toquée, riche à millions, des tableaux signés de noms illustres ! Et voilà qu'un matin un type quelconque, un Marcellin, monte sur le pont du bateau à un moment inopportun...

— Vous les plaignez ?

Maigret sans répondre, haussa les épaules.

— Vous verrez que les psychiatres discuteront de leur degré respectif de responsabilité.

M. Pyke, qui faisait de petits yeux à cause du soleil, fixa longuement son collègue, comme s'il cherchait à pénétrer le fond de sa pensée, puis il fit simplement :

— Ah !

Le commissaire ne lui demanda pas ce qu'il venait de conclure de la sorte. Il parla d'autre chose, demanda :

— Vous aimez la Méditerranée, monsieur Pyke ?

Et comme M. Pyke, hésitant, cherchait sa réponse, il poursuivit :

— Je me demande si l'atmosphère n'est pas trop forte pour moi. Sans doute pourrons-nous partir dès ce soir.

Le clocher blanc avait l'air serti dans le ciel, d'une matière à la fois dure et transparente. Le maire, intrigué, regardait du dehors, par la fenêtre, à l'intérieur de sa mairie. Que faisait Charlot ? On le voyait se lever de table et marcher vivement vers le port.

Maigret le regarda un moment, les sourcils froncés, grommela :

— Pourvu que...

Il se précipita dans la même direction, suivi par M. Pyke qui ne comprenait pas.

Quand ils arrivèrent en vue de la jetée, Charlot était déjà sur le pont du petit yacht drôlement baptisé : *Fleur d'amour.*

Il restait un moment penché sur l'écoutille, à examiner l'intérieur, disparaissait, revenait sur le pont en portant quelqu'un dans ses bras.

Lorsque les deux hommes arrivèrent à leur tour, Anna était étendue sur le pont, et Charlot, sans vergogne, lui arrachait son paréo, mettant à nu, dans le soleil, une poitrine lourde et pleine.

— Vous n'y aviez pas pensé ? articulait-il avec aigreur.

— Véronal ?

— Il y en a un tube vide sur le plancher de la cabine.

Ils furent cinq, puis dix, puis toute une foule

auprès de Mlle Bebelmans. Le médecin de l'île arrivait à petits pas, disait d'un air navré :

— J'ai apporté un vomitif, à tout hasard.

Mrs Wilcox était sur le pont de son yacht, en compagnie d'un de ses matelots, et ils se passaient une paire de jumelles marines.

— Vous voyez, monsieur Pyke, que je fais des fautes, moi aussi ? Elle a compris, elle, que de Greef n'avait rien d'autre à craindre que son témoignage et elle a eu peur de parler.

-:-

Il fendit la foule qui s'était amassée devant la mairie. Lechat avait fermé la fenêtre. Les deux jeunes gens étaient toujours à leur place, les bouteilles de bière sur la table.

Maigret se mit à tourner dans la pièce comme un ours, s'arrêta devant Philippe de Moricourt et, soudain, sans que rien pût faire prévoir son geste, sans que cette fois le jeune homme eût le temps de se protéger, il lui flanqua sa main en pleine figure.

Cela le soulagea. D'une voix presque calme, il murmura :

— Je vous demande pardon, monsieur Pyke.

Puis, à de Greef qui l'observait en essayant de comprendre :

— Anna est morte.

Il ne se donna pas la peine de les questionner ce jour-là. Il s'efforçait de ne pas voir le cercueil qui était toujours dans son coin, le fameux cercueil du vieux Benoît, qui avait déjà servi pour Marcellin et qui allait servir pour la jeune Ostendaise.

Comme par ironie, la tête hirsute de Benoît, bien en vie, était reconnaissable dans la foule.

Lechat et les deux hommes, menottes aux poignets, s'en allèrent vers la pointe de Giens à bord d'un bateau de pêche.

Maigret et M. Pyke prirent le *Cormoran* à cinq heures, et Ginette s'y trouvait, ainsi que Charlot et sa danseuse, et tous les touristes qui avaient passé la journée sur les plages de l'île.

Le *North Star* se balançait sur son ancre à l'entrée du port. Maigret, renfrogné, fumait sa pipe et, comme ses lèvres remuaient, M. Pyke se pencha vers lui en questionnant :

— Pardon ? Vous dites ?

— Je dis : sales gamins !

Après quoi, bien vite, il détourna la tête et regarda le fond de l'eau.

FIN

2 février 1949.

OUVRAGES DE GEORGES SIMENON
AUX PRESSES DE LA CITÉ (suite)

« TRIO »

PRESSES POCKET

A LA N.R.F.

ÉDITION COLLECTIVE SOUS COUVERTURE VERTE

MÉMOIRES

*Achevé d'imprimer en août 1986
sur les presses de l'Imprimerie Bussière
à Saint-Amand (Cher)*

— N° d'édit. 391. — N° d'imp. 2072. —
Dépôt légal : 1er trimestre 1968.
Imprimé en France